Y0-AAU-652

DEGAS

Degas

von Eduard Hüttinger

SÜDWEST VERLAG MÜNCHEN

Titelseite: Selbst-Porträt, 1857
Radierung II/V
The Metropolitan Museum of Art, New York

Gesamtredaktion der Reihe »Meister der Modernen Kunst«:
Madeleine Ledivelec-Gloeckner
Auswahl der Bilder und Umbruch:
Marie-Hélène Agüeros

ISBN: 3-517-00102-3
Printed in Italy - Industrie Grafiche Cattaneo s.p.a., Bergamo
Neue Ausgabe

Die Tochter Jephthas, 1859-1860. Öl auf Leinwand, 183 × 296 cm
Smith College Museum of Art, Northampton, Massachusetts

Für M. M.

Edgar Degas nimmt in der französischen Malerei des 19. Jahrhunderts eine Stellung ein, die bündig und knapp zu charakterisieren alles andere als leicht fällt. Während sich nämlich die meisten der großen französischen Maler des 19. Jahrhunderts mit einer der entscheidenden Stilströmungen eindeutig so in Verbindung bringen lassen, daß sich wesentliche Züge der Kunst dieser Meister jeweils offenbaren — Ingres mit dem Klassizismus, Delacroix mit der Romantik, Courbet mit dem Realismus, Monet, Sisley, Pissarro und, wenn auch weniger deutlich, so doch in wichtigen Aspekten, Manet und Renoir mit dem Impressionismus, Seurat und Signac mit dem Neoimpressionismus — demgegenüber verhält es sich mit Degas ungleich komplizierter: zwar hat er Anteil am Klassizismus Ingres'scher Prägung, zeigt er sich vom Realismus und vollends vom Impressionismus berührt, indessen identifiziert er sich zu keinem Zeitpunkt je völlig

Die Baronin Bellelli, um 1858
Bleistift mit Gouache, 26,1 × 20,4 cm
Graphisches Kabinett, Louvre, Paris

mit einer dieser Bewegungen. Er wahrt sich seine Unabhängigkeit, in menschlicher, künstlerischer, technischer Hinsicht; er folgt, in der Abgeschiedenheit seines Ateliers, den Gesetzen der eigenen Entwicklung; er fühlt sich einem individuell persönlichen Entfaltungsgesetz verpflichtet, in einem Ausmaß, wie das, bei aller Verschiedenheit im einzelnen, nur noch Cézanne getan hat. Degas und Cézanne sind, auf je grundverschiedene Weise freilich, große Unabhängige innerhalb der französischen Malerei des 19. Jahrhunderts, die im übrigen doch so stark durch Gemeinschaftsbildungen gleichgesinnter Künstler gekennzeichnet wird. Von der Stilabfolge her gesehen, die über der französischen Malerei des 19. Jahrhunderts und des beginnenden 20. Jahrhunderts waltet, umspannt die Kunst Degas' ein Feld, das vom Klassizismus bis zum Fauvismus reicht. Von keinem der »Epochenstile« des 19. Jahrhunderts aus kann der Zugang zu dieser Kunst ganz gewonnen werden; ihre Bedingungen, ihre Quellpunkte wurzeln im Kern der Persönlichkeit des Menschen und Künstlers Degas.

Spätestens unter den Erschütterungen der Französischen Revolution war die ursprüngliche funktionelle Einheit von Kunst und Religion endgültig zerbrochen, aus Gründen, die hier nicht zu erörtern sind. Die Revolution entriß die Kunst den Bereichen des Mythischen; die gesellschaftliche Struktur Europas, die bisher ein straffes Gefüge repräsentiert hatte, löste sich auf. Die Existenz des Künstlers fiel in wachsendem Grade dem Schicksal der Isolierung und Vereinzelung anheim. Wenn Ingres als Direktor der Akademie in Rom und später in Paris als Träger gewisser Ehrentitel sich äußerlich sozial noch eine Stellung zu wahren wußte, wie sie traditionell einem bedeutenden Künstler zukam, wenn er in künstlerischem Betracht im Klassizismus den Anschluß an eine große Überlieferung fand, und wenn Delacroix, aus ganz persönlich bedingtem Entschluß heraus, mit den bedeutenden Leistungen in Literatur und Kunst der Vergangenheit zu kommunizieren vermochte, allerdings um den Preis einer äußersten Distanzierung von der Menge und in der Erschaffung von Werken, deren christliche und mythologische Themenwelt im Grunde der Zeit nicht mehr entsprach und die ihre Lebenskraft allein bezeugen durch eine völlig auf sich selber verwiesene, von Pathos und Melancholie bestimmte Kunstform — wenn die geistesgeschichtliche Situation sich mithin bereits vor 1850 im Zeichen einer krisenhaften Zuspitzung befand, so ging seit der Mitte des 19. Jahrhunderts jede wesentliche künstlerische Tätigkeit vollends in einem Bezirk äußerster, radikalster Vereinzelung und Vereinsamung vor sich. Der Klassizismus von Ingres, der noch eine echte Schule gebildet hatte, wandelte sich in unfruchtbaren Akademismus der Ecole des Beaux-Arts; der romantischen Malerei war es überhaupt nicht beschieden, eine dauerhafte Schule zu begründen.

Diese Lage hat der junge Degas angetroffen. Für kurze Zeit gab ihm die »klassische Schule« Halt; hernach aber arbeitete er als ein Außenseiter, der sich eine ganz persönliche Ikonographie erschuf, die um drei Zentren kreist: die Welt des Theaters, des Balletts und des Rennplatzes. Während in der Kunst der programmatischen Impressionisten die Landschaft dominiert, wahrgenommen mittels einer reinen, »schicksalslosen« Optik, fühlte Degas sich nie als Landschaftsmaler. Die Natur, als Synonym für alles das verstanden, was in der freien Landschaft vorkommt, bedeutete ihm nichts, ebensowenig kümmerte er sich um die kunstvoll arrangierte und kultivierte Natur, wie sie sich im Stilleben darbietet. Mit einer Inständigkeit sondergleichen richtete er seinen forschenden Blick auf den Menschen, registrierte er die absonderlichsten und ausgefallensten Stellungen des menschlichen Körpers im Medium einer präzisen und dennoch extrem beweglichen Zeichnung. Nicht zuletzt darin unterscheidet er sich wiederum von seinen Generationsgenossen, daß er von allen künstlerischen Gestaltungsmitteln der Zeichnung den Primat zuerkannte. Diese Macht der Zeichnung wurzelt am Ende in Degas' Hochschätzung der alten Meister. Im Instrumentarium einer klassisch geprägten Formsprache, einer hochstilisierten Kultur der Linie, fängt Degas zeitgenössisches, »modernes« Leben in seinen spontanen Äußerungen und Niederschlägen ein, um es zu verewigen. Die paradoxale Spannung, die solchem Bemühen innewohnt, ist klar ausgesprochen in Worten des jungen Degas selber, die in einem seiner Taschenbücher stehen: »O Giotto, steh mir nicht vor dem Bild von Paris; und Paris, verdunkle mir nicht Giottos Bild.« Damit hat Degas die beiden Komponenten namhaft gemacht, die in

Baron Gennaro Bellelli, 1860
Bleistift, 27,2 × 22,7 cm
Graphisches Kabinett, Louvre, Paris

Studie für das Porträt der Madame Hertel, 1865
Bleistift, 35,7 × 23,3 cm
Fogg Art Museum, Cambridge, Massachusetts

seiner Kunst am Werk sind und die sich beständig durchdringen: die aus der großen abendländischen Überlieferung geschöpfte Klassizität und die leidenschaftlich direkte, unmittelbare Wahrnehmung wesentlicher Phänomene der eigenen Gegenwart.

Die Einsamkeit, die Degas zeit seines Lebens umgibt, die zur Grundkonstitution seines Daseins gehört, wie nur noch bei Cézanne, hat ihre Voraussetzungen nicht allein in der geistesgeschichtlichen Struktur der Epoche, sondern sie quillt aus der charakterlichen Veranlagung von Degas selber; sie ist ein Wesenszug des Menschen Degas. Die brieflichen Äußerungen, die immer wieder betonen, er müsse allein sein mit seiner Aufgabe, machen vielleicht zunächst lediglich aus der Not der Verständnislosigkeit, der Gleichgültigkeit, der Abwehr, auf die sein Schaffen in jenen Kreisen stieß, welche früher die Kunst als Auftraggeber gefördert und getragen hatten, die Tugend einer heroischen Selbstrechtfertigung; und dennoch entsprechen sie letztlich genau dem faktischen Sachverhalt, in dem und aus dem heraus Degas sein Werk geschaffen hat. Die Einsamkeit der Selbstverwirklichung ist es, die fast alle Charakterzüge erklärt, welche die Zeitgenossen am Menschen Degas wahrgenommen und überliefert haben, sein Sarkasmus, »die zwanghafte Neigung zu witzigen Aperçus«[(1)], die so oft verletzend wirkten; eine durch und durch reizbare und zugleich skeptische Natur — Anlaß, daß man ihm Herzlosigkeit und Kälte vorwarf, und die Freundschaften mit Künstlerkollegen so oft gefährdete. Indessen, das Bild, das beispielsweise Vollard, selber ein sarkastisch veranlagter Mensch, von Degas entwirft, ist zweifellos stark verzeichnet, grenzt an die Karikatur. Da kommt ein so sorgfältiger, psychologisch tiefblickender Beobachter wie Georges Rivière der Wahrheit ungleich näher, wenn er von einem »faux misanthrope« spricht; das alles, diese schneidende Kälte, diese Grausamkeit und enthüllende Scharfsichtigkeit, war am Ende nur die äußere Hülle um einen leicht verletzlichen Kern, Drang auf Selbstschutz. Als Künstler genoß Degas unter seinen ihm nahestehenden

(1) Wilhelm Hausenstein, *Degas*, Bern 1948, S. 12.

DAME MIT CHRYSANTHEMEN, 1858-1865
Öl auf Leinwand, 73,7 × 92,7 cm
The Metropolitan Museum of Art, New York

DIE FAMILIE BELLELLI
um 1860
Öl auf Leinwand, 200 × 253 cm
Musée d'Orsay, Paris

Porträt Giulia Bellelli, 1858-1859
Bleistift, laviert mit Weißhöhungen, 23,4 × 19,6 cm
Graphisches Kabinett, Louvre, Paris

Porträt Giovannina Bellelli, 1858-1859
Bleistift und Kohlewischer, 32,6 × 23,8 cm
Graphisches Kabinett, Louvre, Paris

◁

THÉRÈSE DE GAS, HERZOGIN VON MORBILLI
SCHWESTER DES MALERS, um 1863
Öl auf Leinwand, 89 × 67 cm
Musée d'Orsay, Paris

Hortense Valpinçon als Kind, 1871
Öl auf Leinwand, 75,5 × 113,8 cm
The Minneapolis Institute of Arts, Minnesota

Zwei Schwestern. Die Kusinen des Malers, um 1865
Öl auf Leinwand, 57 × 70 cm
The Wadsworth Atheneum, Hartford, Connecticut

Kollegen und Freunden, so sehr immer persönliche Zwistigkeiten das Verhältnis zeitweise trübten, ein niemals in Frage gestelltes höchstes Ansehen. Das gilt für Manet wie für Renoir, Monet und Guillaumin, Gauguin und van Gogh, und schließlich hat Degas, ohne daß dies jemals in seiner Absicht gelegen wäre, einen bedeutenden Einfluß auf die Kunst seiner Zeit ausgeübt — es genügt, Namen wie Manet, Mary Cassatt, Forain, Gauguin, Lautrec, Suzanne Valadon, Vuillard zu nennen. Treue hielt er den Jugendkameraden, Paul Valpinçon, Henri und Alexis Rouart, bis zum Ende. Die Dreyfus-Affäre, in der Degas aus aristokratisch-konservativer Haltung heraus, aus Ekel an Massenbetrieb und moderner Demokratie, Stellung gegen Dreyfus nahm, was auch seinem Antisemitismus entsprang, führte freilich zur Trennung von Ludovic Halévy und von Monet, indes der Bildhauer Bartholomé bis zuletzt unter den engsten Freunden verblieb. Konsequenz der Auffassung, ein Maler habe kein Privatleben, war es, daß Degas nicht heiratete, daß man von keinen amourösen Bindungen, geschweige von Abenteuern weiß. Im menschlichen Bereich ist dergestalt das Leben Degas' von einer gewissen Ereignislosigkeit gekennzeichnet. Diese Ereignislosigkeit, dieses im alltäglich menschlichen Sinn unerfüllte Schicksal jedoch ist die Bedingung zur Freiheit des Werks, der Preis, den einer zahlte, der sich über Kunst folgendermaßen nicht nur unverbindlich geäußert, sondern der dem nachgelebt hat ein langes Leben hindurch: »Man muß eine hohe Vorstellung vom Kunstwerk haben, nicht von dem, was man gerade macht, sondern von dem, das man eines Tages erreichen will. Ohne das lohnt es sich nicht zu arbeiten.«[1]

Edgar-Hilaire-Germain de Gas wurde am 19. Juli 1834 in Paris, rue Saint-Georges, geboren, und zwar als Sproß einer wohlhabenden Familie des Pariser Großbürgertums, aber als Enkel einer Italienerin. Der Großvater, Hilaire-René de Gas, war nämlich während der Französischen Revolution aus Frankreich geflüchtet. In Neapel fand er eine neue Heimat: er gründete eine Bank und heiratete eine Tochter des Landes. Der Vater, Auguste de Gas, kam jung nach Paris, wo er eine Filiale des Neapolitaner Geschäftes auftat. Hier machte er die Bekanntschaft der aus einer kreolischen Familie französischer Herkunft stammenden Célestine Musson, die seine Frau wurde.[2] Es mutet überraschend an, daß Edgar Degas, er, der in einem Ausmaß wie vielleicht allein noch Manet, in Paris und von Paris gelebt hat, dessen Kunst einen Inbegriff des Pariserischen verkörpert, seiner Abstammung nach kein reiner Franzose ist. Aber eben dieses blutmäßig Fremde — die de Gas waren mit italienischem Adel versippt; zu ihrer Verwandtschaft zählten die Baronin Bellelli und die Duchessa Morbilli — mochte eine Voraussetzung bilden zu jener so genauen und distanzierenden Wahrnehmung von Grundaspekten des Pariserischen, die Degas als ein gleichsam von außen Hinzutretender zu leisten in der Lage war.

(1) Vgl. François Fosca, *Degas*, Genf 1954, S. 97.

(2) Was die aristokratisch klingende Schreibweise de Gas betrifft, so hat der Maler sich ihrer bis um 1873 fast ausschließlich bedient, auch zur Signierung seiner Bilder, um alsdann hinfort nur noch die bürgerliche Schreibweise »Degas« zu verwenden.

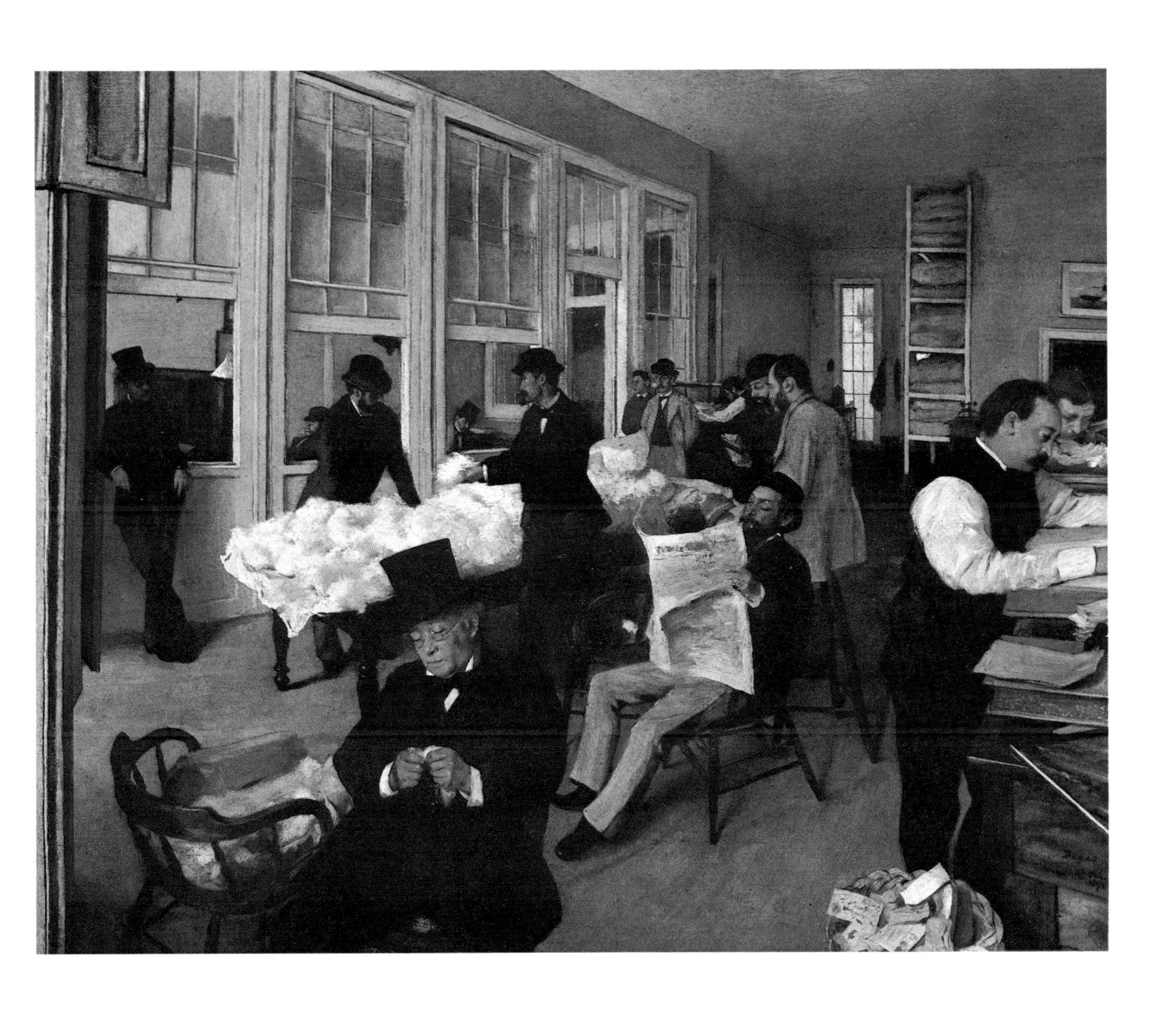

Das Baumwollkontor in New Orleans, 1873
Öl auf Leinwand, 74 × 92 cm
Musée des Beaux-Arts, Pau

JACQUES-JOSEPH (JAMES) TISSOT IM ATELIER DES MALERS, 1866-1868. Öl auf Leinwand, 151,4 × 112,1 cm
The Metropolitan Museum of Art, New York

MADAME CAMUS AM KLAVIER, 1869. Öl auf Leinwand, 142,2 × 95,2 cm
Stiftung Sammlung E.G. Bührle, Zürich

Degas verbrachte seine Jugend in einem wohlhabenden, kultivierten Milieu; sein Vater, der Bankier, war künstlerischen Fragen gegenüber aufgeschlossen und vor allem ein begeisterter Musikfreund. Edgar sollte als ältester Sohn einmal das Bankgeschäft übernehmen und im Studium das Rüstzeug eines Juristen erwerben. Er erwies sich jedoch als schlechter Schüler, der allein im Zeichnen gute Noten nach Hause brachte. Der Gymnasiast war besessen von dem Traum, Künstler zu werden, und schließlich, nach hartnäckigem Beharren auf dem Vorsatz, bekam er vom Vater die Erlaubnis, seinen Traum zu verwirklichen — nicht wie so oft in der Lebensgeschichte vieler Künstler des 19. Jahrhunderts vollzog sich der Übergang zur künstlerischen Tätigkeit im Fall von Degas als krisenhaft katastrophaler Bruch mit der bürgerlichen Welt des Herkommens und der Familie. 1854, als Zwanzigjähriger, nach dem Besuch des Lycée Louis-le-Grand und kurzem Studium an der Ecole de Droit, trat Edgar in die Lehre ein bei dem unbedeutenden Ingres-Schüler Louis Lamothe, der einen akademisch eklektizistischen, blutarm gewordenen Stil der David-Nachfolge ohne jegliches revolutionäre Pathos pflegte. Diese Lehre wie auch der kurze Besuch der Ecole des Beaux-Arts 1855 blieben in allen unmittelbar praktischen Belangen des Métiers durchaus ohne große Auswirkung. Hingegen erwies sich diese Zeit für Degas insofern doch von Bedeutung, als er damals eine tiefe Bewunderung für Ingres faßte, die ein Leben lang anhalten sollte. Lamothe erschien Degas am Ende nur als Medium, durch das er einen Abglanz der Kunst des verehrten Meisters vermittelt bekam. Es war der Sammler Valpinçon, durch den Degas die Bekanntschaft von Ingres selber machte, welcher ihm, wie Degas später erzählte, bei der Vorstellung den Rat gab: »Machen Sie Linien, viele Linien — entweder aus Ihrer Erinnerung oder nach der Natur.« Der Rat blieb für Degas ein kostbares Vermächtnis; er ist eine Maxime, die als Losung über seiner gesamten künstlerischen Tätigkeit stehen könnte.

Die Unterweisung bei Lamothe und an der Ecole des Beaux-Arts hätte geeignet sein können, in dem jungen Kunstadepten jede natürliche Entfaltung der künstlerischen Kräfte zu stören oder gar zu unterbinden. Dieser nicht gering anzuschlagenden Gefahr entging Degas dadurch, daß er sich, sooft es ihm nur möglich war, im Louvre aufhielt, um sich hier mit der alten Kunst studierend und kopierend auseinanderzusetzen, zumal mit den Meistern des italienischen Quattrocento. 1856 reiste Degas zum erstenmal nach Italien: er sollte seine italienischen Verwandten kennenlernen. Die Reise nun, der 1858 und 1859 weitere folgten, mit jeweils ausgiebigem Bleiben in Neapel, Rom, Florenz, Umbrien, war die eigentliche hohe Schule für Degas' Werdegang als Künstler. Das Studium der alten Meister, das bereits im Louvre und im Cabinet des Estampes begonnen hatte, fand jetzt eine systematische Fortsetzung, und zwar machten nicht etwa, wie es für den Schüler Lamothes und der Ecole des Beaux-Arts eigentlich zu erwarten gewesen wäre, die Meister der Hochrenaissance, mit Raffael an der Spitze, den stärksten Eindruck auf Degas; vielmehr galt seine Vorliebe Malern des 15. Jahrhunderts wie Uccello, Benozzo Gozzoli, Ghirlandajo, Mantegna, Signorelli, Perugino, Lorenzo di

Junge Frau mit Hut, 1887-1890. Öl auf Leinwand, 46 × 32,5 cm
Privatsammlung

Porträt Edmond Duranty
1880
Kohle und weiße Kreide
30,7 × 47,4 cm
The Metropolitan
Museum of Art
New York

Credi, auf der andern Seite solchen des florentinischen Manierismus: Pontormo, Bronzino. Freilich hat Degas schon im Louvre und alsdann auch in Italien nach Leonardo, Michelangelo und Raffael gezeichnet, aber der hochgesteigerte Idealismus der Klassik blieb ihm fremd, und dies um so mehr, als die David-Schule in erschreckender Weise vordemonstriert hatte, wie rasch die Betätigung auf dem Gebiet der Nachahmung der klassischen Form in flachem und leerem Virtuosentum mündete.

Fragt man nach dem Grund von Degas' Entscheidung für die Quattrocento-Malerei, so wird man antworten müssen, daß er hier seine damalige Vorstellung von »Wirklichkeit«, von künstlerischer »Wahrheit« am reinsten verwirklicht sah. Was Ingres in Rom vor den Werken Raffaels gesagt haben soll, als er sie mit den Surrogaten der David-Schule verglich: »Wie sie mich getäuscht haben«, das hätte auch Degas, aus einem andern Bezugssystem heraus allerdings, sagen können, als er sich in Italien zu seinen Wahlverwandtschaften bekannte. Seine Hinwendung zu den italienischen »Primitiven« — die Bezeichnung, die weit ins 20. Jahrhundert hinein in Gebrauch stehen sollte, ist zu Beginn des 19. Jahrhunderts sowohl in Frankreich wie in Deutschland aufgekommen[(1)] — steht an und für sich nicht vereinzelt in der Zeit. Was Frankreich angeht, so hatte schon um 1800 die um den Davidschüler Maurice Quai gescharte Sekte der »Barbus« eine Sezession gebildet, die gegen den erstarrenden, sich totlaufenden Klassizismus opponierte und die ihr Heil im Rückgang auf das »Primitive« erblickte, wobei dieses Primitive sich für sie am reinsten in dem vagen Begriff einer »art

(1) Vgl. André Chastel, Le goût des »Préraphaélites« en France, in: *De Giotto à Bellini*, Ausstellung in der Orangerie der Tuileries, Paris 1956, Katalogvorwort, S. VII ff.

Edouard Manet, um 1862-1865
Radierung, II/IV, 13,3 × 12,5 cm
The Philadelphia Museum of Art

Studie für das Porträt Diego Martelli, 1879
Kohle, 45 × 28,7 cm
Fogg Art Museum, Cambridge, Massachusetts

PORTRÄTS IN FRIESFORM, 1879
Schwarze Kreide und Pastell, 50 × 65 cm
Privatsammlung

préphidiaque« manifestierte. Die antiklassische, linear abstrahierende, zum größten Teil literarisch konzipierte Strömung der »Barbus« erhielt bald europäische Resonanz, nur daß jetzt bei den deutschen Lukasbrüdern oder Nazarenern, die sich 1808 zusammenfanden, ebenso wie bei den jungen französischen Malern um 1830 herum die Malerei der italienischen und deutschen Primitiven das Vorbild abgab. Die Bewegung gipfelte 1848 in der Bruderschaft der englischen Präraffaeliten. Die Präraffaeliten haben, in totaler Feindschaft gegen »das ästhetische Empfinden der Renaissance-Schulen, das aus Faulheit, Ungenauigkeit, sinnlichen Genüssen und frivolem Hochmut besteht«, die Kunst der »Primitiven« als eine dem Bereich des Heiligen angenäherte Instanz von geradezu kultischer Qualität schwärmerisch verehrt, meinend, so der modernen Vulgarität entrinnen zu können.

Der Präraffaelismus des 19. Jahrhunderts, handle es sich nun um seine deutsche, französische oder englische Erscheinungsform, hat Degas nicht in Bann zu schlagen vermocht. Seine Kunst ist kein Glied geworden in der Entwicklung einer klassizistisch religiösen Kunst, die von Ingres zu Puvis de Chavannes und Maurice Denis führt; deshalb nicht, weil sein Verarbeiten der »Primitiven« alles bloße Historisieren übersteigt. Degas' frühes Schaffen ist innerhalb der Kunst des 19. Jahrhunderts ein Zeugnis dafür, daß ein Maler zwar einerseits in stärkstem Maße vergangene, weit zurückliegende Kunstformen aufgreifen kann — worin er Anteil hat an Grundtendenzen seiner Zeit, daß er aber andrerseits gerade in solchem Verhalten eine höchst persönliche unverwechselbare Kunstform ins Leben ruft.

Im Louvre, Antikensammlung (Mary Cassatt)
um 1879-1880
Radierung mit Aquatinte
und Feder V/IX, 26,7 × 23,5 cm
The Toledo Museum of Art, Ohio

Am Beginn von Degas' künstlerischer Tätigkeit stehen also Kopien und Studien nach alten Meistern, denen er im Louvre und in Italien begegnet war. Daneben malte er in Italien Typen, zumal Frauen, aus dem Volk, Kunstübungen, die an den »genre pittoresque« anknüpfen, wie ihn beispielsweise Léopold Robert, aber auch die deutschen Nazarener mit Erfolg gepflegt hatten, die aber für Degas durchaus Episode bleiben. Erstmals einen vollen, authentischen Klang bekommt das Schaffen des jungen Malers indessen auf dem Feld der Porträtmalerei, indem sich die aus dem Studium der alten Kunst

Beim Rennen, um 1862
Bleistift, 33,7 × 48,3 cm
Sterling and Francine Clark Institute
Williamstown Massachusetts

Vier Jockeys vor dem Start
1866-1868
Sammlung Mr. und Mrs. E.V. Thaw, New York

gezogenen Lehren verbinden mit einer individuell bedingten Meisterschaft. Die Menschen, die Degas darstellt, sind fast ausschließlich Mitglieder der Familie, zumal die Geschwister, und dann vor allem ist es die eigene Person: Die rund anderthalb Dutzend Selbstbildnisse stammen in der überwiegenden Mehrzahl aus der Frühzeit. Später fühlte Degas sich nicht mehr gezwungen, sich mit der Ergründung des eigenen Selbst zu beschäftigen; dieses tritt zurück vor einer auf allgemeine, »objektive« Gestaltungsprobleme ausgehenden Schaffensabsicht. Unter den Selbstbildnissen gehört dasjenige von 1854-55 zu den vollendetsten und repräsentativsten — es verkörpert am gültigsten die Art und Weise, wie der zwanzigjährige Degas gesehen sein wollte, wie er selber sich damals verstanden hat. Vor neutralem Grund erscheint hinter einer Brüstung, auf die sich der abgewinkelte rechte Arm stützt, die Halbfigur des Malers, in einer »klassischen« Bildnishaltung, die seit Dürers *Selbstporträt* von 1498 (Prado, Madrid) und Raffaels *Porträt des Angelo Doni* um 1506 (Palazzo Pitti, Florenz) immer wieder Verwendung gefunden hat in der europäischen Bildniskunst, wenn es darum ging, das Modell nicht in spontan unmittelbarer, nachlässiger Sicht, vielmehr unter dem Blickwinkel des feierlich Repräsentativen, vornehm Gelassenen vor die Augen zu bringen. Das ist denn auch unüberbietbar deutlich im *Selbstbildnis* beschworen: der Künstler nicht als Exponent einer sorglos kecken Welt der Bohème, sondern der Künstler als distinguierter, ernst sich gebender Bürger. Das schlanke Hochformat und die Wahl des Ausschnitts bewirken, daß der Scheitel des Kopfes beinah den oberen Bildrand berührt: Das Gesicht verwahrt sich, ist wie entrückt, und dem entspricht im Physiognomischen der verschlossen abwesende, nicht scharf und bewußt fixierende Blick der Augen. Es ist die geistig-seelische Verfassung, die auf manchen Bildnissen der

Studie für das Pferderennen
Der verwundete Jockey
1866
Bleistift mit Weißhöhungen
31,5 × 44,6 cm
Sterling and
Francine Clark Institute
Williamstown, Massachusetts

florentinischen Manieristen, von Pontormo bis zu Bronzino, als düstere, verletzliche Aura über den Menschen lastet.

Die Porträtmalerei von Degas' Frühzeit findet ihre großartigste Zusammenfassung in einem Werk, das einen Gipfelpunkt der Bildnismalerei des 19. Jahrhunderts bedeutet, nämlich in der *Familie Bellelli* (siehe S. 10-11). Die Dargestellten sind Laura de Gas, die Tante von Edgar, deren Gemahl Baron Bellelli, italienischer Senator und Freund Cavours, und ihre Kinder Jeanne und Julie. Degas hat sich während Jahren mit dem Plan zu diesem Gruppenbildnis beschäftigt; die ersten Skizzen entstanden 1856 in Neapel, weitere 1857 bis 1860 in Florenz, wo die Familie Bellelli wohnte. Das Gemälde selber wurde vermutlich 1857 begonnen, jedoch erst 1862 in Paris vollendet. Degas dachte daran, es im »Salon« zu zeigen, ein Vorsatz, der indessen wahrscheinlich nie realisiert worden ist. Im »Salon« hätte das Bild, das bis zu Degas' Tod in seinem Atelier verblieb, zweifellos einen Skandal erregt, den Degas aus Rücksicht auf die ehrenwerte Familie Bellelli vermeiden mußte. Diese Befürchtung der Skandalerregung erscheint uns heute unverständlich angesichts eines Werkes, das für uns so etwas wie einen Inbegriff einer vom Klassischen her konzipierten Porträtmalerei verkörpert. Jedoch, das ist ungeschichtlich gedacht; in Tat und Wahrheit war das Bild damals von revolutionärer Kühnheit, verglichen nämlich mit der offiziellen, vom »Salon« geförderten Porträtmalerei, für die photographische Treue und photographische Gestelltheit, die Fixiertheit einer konventionellen »Momentaufnahme« unerläßliche Bedingung jeglicher Porträt-Ästhetik waren. Bei Degas posieren die Figuren nicht, wie auf den zeitgenössischen Photographien und auf den unter deren Einfluß geratenen durchschnittlichen, vom »Salon« gutgeheißenen Porträts, ausschließlich für den Betrachter; einzig Jeanne, die eine der Töchter, blickt vom Bild heraus, auf ein imaginäres Gegenüber; die übrigen Personen sind für sich gegeben, die Baronin freilich in stolzer, aufrechter, steifer und strenger Haltung. Das Schwarz ihrer Kleidung — sie war 1862 in Trauer um ihren jung verstorbenen Sohn Jean — unterstützt den Eindruck vornehmer, abweisender Verschlossenheit. Die kleine Julie ist in einem Moment betont transitorischer Bewegtheit festgehalten: sie sitzt auf der Kante eines Stuhls; ihr linkes Bein ist unterschlagen — eine künstlerische, auf

Pferd an der Tränke, 1865-1881
Rotes Wachs, Höhe 16,3 cm
Sammlung Mr. und Mrs. Paul Mellon
Upperville, Virginia

Mademoiselle Fiocre im Ballett »Die Quelle«, um 1866
Öl auf Leinwand, 130 × 145 cm
The Brooklyn Museum, New York

DAS OPERNORCHESTER, 1868-1869. Öl auf Leinwand, 56,5 × 46,2 cm
Musée d'Orsay, Paris

Musiker des Opernorchesters, 1872. Öl auf Leinwand, 69 × 49 cm
Städelsches Kunstinstitut, Frankfurt am Main

Der Ballettsaal der Oper
in der Rue Le Peletier, 1872
Öl auf Leinwand, 32 × 46 cm
Musée d'Orsay, Paris

Die Tanzschule (Ballettsaal), um 1871
Öl auf Holz, 19,7 × 27 cm
The Metropolitan Museum of Art
New York

spontane Unmittelbarkeit ausgehende Lizenz, die die akademische Malerei der Zeit als bares Sakrileg empfinden mußte. Erst recht die Figur des Barons hat gar nichts von gestellter Offizialität an sich; halb vom Rücken gesehen, ruht sie abgekehrt im Fauteuil, nur in der Wendung des Hauptes nach links auf die übrigen Personen bezogen, wobei diese Wendung zugleich der Zeitung auf dem Tisch gilt: der Baron verharrt restlos in seiner häuslich intimen, zufälligen Welt. Hier bekundet sich erstmals eine Spur von jener Betrachtungsweise, mit der Degas später dann das jeweilige Motiv in absichtslosem Für-sich-sein überraschen wird.

Es sind solche Abweichungen von der akademischen Doktrin zugunsten »lebensechter« Direktheit, zugunsten einer »tranche de vie«, die Degas' *Familie Bellelli* auch von den einzig als Vorbild in Frage kommenden Werken abhebt: von den verschiedenen Zeichnungen des Ingres, die Gruppenbildnisse von Familien zum Gegenstand haben. Auf der andern Seite gehorcht das Bild freilich, was seine formale Struktur betrifft, einer Regelstrenge der Komposition, die wahrhaft architektonisch gebaut erscheint. Die Klarheit, mit der sich die Figuren, zumal diejenigen der Frau und der beiden Kinder, in pyramidaler Gefügtheit vor der bildflächenparallelen Rückwand des Zimmers erheben, wobei sie von allen Seiten gerahmt und eingefaßt sind von einem System rechter Winkel, in denen die Grundrichtungen der Fläche sich verdichten, hat Verwandtes am ehesten in der Malerei des florentinischen Manierismus, namentlich der Medici-Porträts von Bronzino. Das Schwarz, Grau und Weiß der Kleider betont, zusammen mit der präzisen Zeichnung, die Strenge der Bildanlage. Erst in den Farben der Umgebung, dem zarten Blau der gemusterten Tapete, dem Gelbgrau des gesprenkelten Teppichs, dem Gold der Rahmen erfolgt eine Besänftigung ins atmosphärisch Weiche, Lichthaltige, und der Spiegel über dem Cheminée bringt eine raumillusionistische und zugleich verzaubernde Note ins Bild. Die *Familie Bellelli* ist Degas' erste ganz persönliche künstlerische Leistung. Das Werk steht als Gruppen- und Familienporträt in der Kunst des 19. Jahrhunderts an einem denkwürdigen Ort. Gruppenbildnisse, die Korporationen oder Vorstände von gesellschaftlichen Vereinigungen darstellen, somit eine Bildgattung, die im Barock, zumal in Holland, ihre Blütezeit erlebt hatte, gibt es im 19. Jahrhundert nicht mehr, wenigstens nicht solche von wesentlichem künstlerischen Rang — am ehesten noch porträtierten Künstler sich unter ihresgleichen, in einer Gruppe Gleichgesinnter. Dahin gehören, was die französische Malerei betrifft, Fantin-Latours Kompositionen *Hommage à Delacroix* (1864) und *L'Atelier de Manet* (1865), die indessen beide letztlich zur Kategorie der photographisch gestellten, »lebenden« Bilder zählen.

Einzig die familiäre Bindung des Individuums ist im 19. Jahrhundert als echte künstlerische Darstellungsaufgabe übriggeblieben; alle anderen Bindungen besaßen keine im gesellschaftlichen Dasein selber organisch wurzelnde Kraft mehr, um bildwürdig werden zu können.[1] Diejenigen Maler der 1. Hälfte des 19. Jahrhunderts, bei denen

(1) Vgl. dazu Hermann Beenken, Das 19. Jahrhundert in der deutschen Kunst, München 1944, S. 388.

Studie für das Gemälde »Ballettschule«, 1879
Bleistift, Heft 30, S. 17, 21,3 × 17 cm
Nationalbibliothek, Paris

das Familienbildnis überhaupt noch eine Rolle spielt, zum Beispiel Ingres in Frankreich, Runge in Deutschland, Waldmüller und Amerling in Österreich, sagen sich von der für das »Dix-huitième« maßgeblichen Auffassung los, die dadurch gekennzeichnet ist, daß Familienglück, Harmonie der Ehegatten, auch häusliches Leben und Kinderfreuden, voll überströmender Empfindsamkeit, die tragenden Gefühlsgehalte bilden, so sehr, daß man nicht ohne Recht diese Werke als »Zärtlichkeitsbildnis« apostrophieren konnte. Jetzt, im 19. Jahrhundert, sind es zuerst bürgerliche Würde, die sich oft altväterlicher Steifheit nähert, Repräsentation, sittliche Strenge, die die führende Stimme haben und die sich nun in der Folgezeit mehr und mehr auflösen: an ihre Stelle tritt eine äußerste Zwanglosigkeit der Gruppierung, wodurch innere Haltung, Ordnung und Geschlossenheit des Begriffs »Familie« überhaupt in Zweifel gezogen werden. Dieses Stadium ist erreicht mit Ferdinand von Rayskis Bild des Kammerherrn von Schroeter und seiner Familie auf der Freitreppe des Schlosses Biederstein, und es ist in extremster Weise realisiert durch Degas selber in seiner *Place de la Concorde* (1874-75), die am Thema des Familienbildes — des Vicomte Lepic mit seinen Töchtern — den öffentlichen Platz zum eigentlichen Bildgegenstand macht, indem die Dargestellten als Passanten im Vorübergehen erscheinen, der Beliebigkeit und Zufälligkeit des Ausschnitthaften unterworfen. Von da her gesehen erhält die *Familie Bellelli* erst ihre spezifische Bedeutung im Werke von Degas wie innerhalb der Malerei des 19. Jahrhunderts: gleich fern von biedermeierlicher Verniedlichung wie von photographischer Gestelltheit, verwirklicht das Gemälde noch einmal die Vorstellung von Familie als einer würdevollen, von Sittlichkeit und gegenseitiger Verantwortung getragenen Wesenheit, wenn auch bereits die Tendenz zu kühler, intimen Äußerungen keinen Raum lassender Distanzierung sich bemerkbar macht, die dann in der *Place de la Concorde* triumphiert. Aus dieser geistigen Spannung bezieht das Werk, neben seiner formal künstlerischen Meisterschaft, seine Bedeutung und seine Größe.

Im Zentrum der Kunst des jungen Degas befindet sich außer dem Porträt das religiöse, geschichtliche und mythologische Themen betreffende Historienbild. Das kommt nicht von ungefähr. Der bis weit ins 19. Jahrhundert hinein führenden klassizistischen Kunstdoktrin erschien die Geschichtsmalerei als die würdigste und höchste Bildgattung, dazu befähigt, legitimerweise die Funktion zu übernehmen, die bis zum Zusammenbruch der abendländisch christlichen Kunsttradition in der Französischen Revolution die religiöse Malerei besessen hatte; es genügt, um diesen Umstand zu illustrieren, etwa an Friedrich Theodor Vischers Bemerkung über »die Geschichte... als das Feld des modernen Künstlers« in den »Kritischen Gängen« von 1844 zu erinnern. Ein junger Maler in Paris um 1860, der den Ehrgeiz hatte, im »Salon« auszustellen, kam also gar nicht darum herum, sich dem Historienbild zuzuwenden. Degas hat das zwischen 1860 und 1865 mit fünf Kompositionen getan, von denen zahlreiche Entwürfe und mehrere Fassungen existieren: *Junge Spartanerinnen fordern Knaben zum Kampf heraus* (1860); *Die Erbauung Babylons durch Semiramis* (1861); *Alexander und Bucephalus* (1861-62); *Die Tochter Jephthas* (siehe S. 5); *Das Unglück von New Orleans* (1865), welch letzteres Bild im »Salon« von 1865 Aufnahme fand.

Studie für das Bild des Opernorchesters
(Monsieur Gouffé den Kontrabaß spielend)
um 1869
Graphitstift, 18,8 × 12 cm
Sammlung Mr. und Mrs. E.V. Thaw, New York

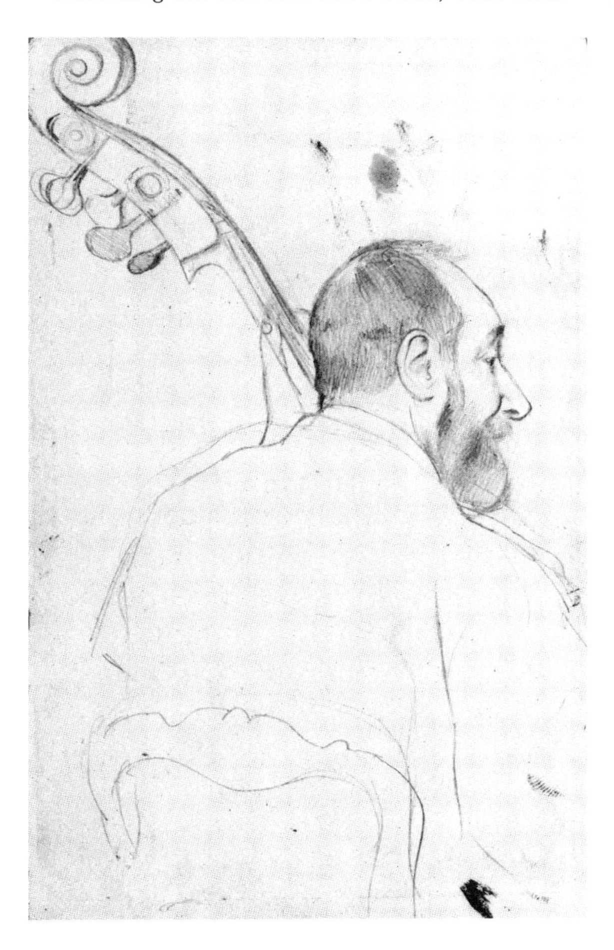

Diese Werke sind von der Degas-Kritik nie sehr hoch geschätzt worden, zu Unrecht, denn es handelt sich um Bilder von ausgeprägter Eigenart, die im Rahmen der gesamten Historienmalerei des 19. Jahrhunderts nichts Ähnliches haben. Auf so verschiedene literarische Quellen Degas zurückgreift — im Falle von *Alexander und Bucephalus* und *Junge Spartanerinnen* ist es Plutarch(1) —, so einheitlich und von klarer Bewußtheit zeugend ist das in ihnen sich manifestierende Stilwollen. Da erscheinen Figurengruppen in reliefartiger Übersichtlichkeit vor weiten Landschaftsgründen, derart, daß zwischen Figuren und Landschaft eine eigentümliche Beziehungslosigkeit herrscht, wie sie für Bilder des florentinischen Quattrocento bezeichnend ist. Es kommt nicht zu einem sinnfälligen

(1) Das letztere Thema ist Degas vielleicht auch durch des Abbé Barthélémy »Voyage du Jeune Anacharsis en Grèce« vermittelt worden. Zudem hatte der italienische Maler Giovanni Demin in der Villa Patti bei Sedico 1856 ein Fresko des gleichen Vorwurfs gemalt und Delacroix ihn auf einer Skizze für die Deckenbilder des Palais Bourbon festgehalten, die aber schließlich keine Verwendung fand. Beide Werke wird Degas gekannt haben.

Zusammenschluß von Figuren und räumlichem Ambiente, und auch unter sich sind die Figuren kaum zu wirklich erlebtem, gemeinsamem Handlungsablauf verbunden: als Ganzes bewahren die Gruppen den Charakter künstlicher Gestelltheit.

Die mythenbildende Kraft der Phantasie, die es bis weit ins 18. Jahrhundert, bis zu Tiepolo und den Malern des deutschen Spätbarocks vermocht hatte, religiösen und mythologischen Werken den Atem ursprünglicher, überschäumender Lebensechtheit mitzuteilen — sie ist unter der Übermacht reflektierenden Denkens erloschen, das für den Klassizismus in allen seinen Brechungen unentrinnbares Schicksal gewesen ist.

Um so überraschender aber mutet es an, daß es Degas dennoch gelingt, die Figuren in ihrer je gesonderten Individualität in bestürzend intensiver Daseinskraft zu vergegenwärtigen, deshalb nämlich, weil er sie direkt vom Skizzenbuch auf die Leinwand übertragen hat. So bewahren sie, als Bewegungs- und Aktionsstudien, schlagende Lebensfülle. Hierin und auch in der wunderbaren Frische der warmen Farben, namentlich der Landschaftshintergründe, beruht die »Zukunftsträchtigkeit« der an und für sich durchaus der klassizistischen Lehre verpflichteten Kompositionen — Degas brauchte, überspitzt gesagt, bloß die antikisierende Figurenszenerie der Vordergründe auszuwechseln, sie zu ersetzen durch einen thematischen Vorwurf der eigenen Gegenwart, um den Weg seiner wahren Begabung zu betreten.

Der Geigenspieler, um 1879
Kohle mit Weißhöhungen 42 x 30 cm
Museum of Fine Arts, Boston

Daß sich indessen die Historienbilder von Degas nicht auf einen Nenner bringen lassen, zeigt vielleicht am deutlichsten *Die Tochter Jephthas.* Die endgültige Fassung ist die reifste, vollkommenste Lösung unter allen diesen Geschichtsmalereien; dem äußern Maßstab nach — fast zwei auf drei Meter mißt das Bild — ist es die größte von Degas je gemalte Leinwand, was darauf hinweist, daß der Künstler hier so etwas wie eine Summe seiner Bemühungen um das

Konzert-Café, 1875-1877
Pastell über Monotypie, 23,5 × 43 cm
The Corcoran Gallery of Art
Washington, D.C.

Kaffeehaussängerin, 1878-1879
Kohle mit Weißhöhungen, 47,5 × 31 cm
Graphisches Kabinett, Louvre, Paris

Geschichtsbild zog.[1] Dargestellt ist ein Ereignis aus dem Alten Testament: der Gileaditer Jephtha hatte für den Fall, daß er die Ammoniter besiege, gelobt, er wolle das erste Wesen, das ihm bei seiner Rückkehr begegne, Jahwe zum Opfer bringen. Das Geschick betraf die eigene Tochter (Richter II, 30 ff.). Obgleich Degas in dem Gemälde die mannigfachsten Anregungen verarbeitet — die kompositionelle Gesamtanlage greift auf ein Bild des Umbrers Girolamo Genga, auf Cesare da Sestos *Anbetung der Könige* und auf Poussins *Raub der Sabinerinnen* zurück; die Gruppe der Mädchen trägt botticelleskes Gepräge; die Rückenfigur des Soldaten rechts ist ein Zitat nach Mantegna, und Jephtha zu Pferd ist Delacroix verpflichtet — trotzdem kommt es zu einer zwingenden formalen und stimmungsmäßigen Einheit im großen dramatischen Wogen, das diese mächtige Schöpfung durchpulst — sie ist nun nicht mehr bildflächenparallel angelegt, sondern zu räumlich komplexer Erscheinungsform gebracht. Wenn Degas sich je von Delacroix angesprochen gefühlt hat, wenn er zu Zeiten geschwankt hat zwischen »den Geboten des Herrn Ingres und dem seltsamen Zauber Delacroix'« (Valéry) — mit *Die Tochter Jephthas* vollzog er die stärkste ihm mögliche Annäherung an die Romantik im Sinne Delacroix'. — Auf einer Studie hat Degas Farbnotizen niedergeschrieben, die beweisen, mit welcher Sorgfalt und bewußter Überlegung er auch die farbige Gestaltung verfolgte: die Farbe ist ihm niemals, am wenigsten aber in den Jahren des Beginns, Medium irrationaler, triebhaft bewegter Aussage gewesen. »Ein graublauer Himmel in einer Farbqualität, die die Helligkeiten als solche hervortreten und die Schatten schwarz erscheinen läßt. Für den roten Rock des Jephtha möchte ich mir die orangeroten Töne dieses Alten in ... von Delacroix vergegenwärtigen — der Hügel mit seinen matten und meergrünen Tönen — viel opfern, die Landschaft als Farbflecken — einige erhobene Häupter im Profil und »glutrot« hinter Jephtha grauer Erbsenbrei mit schmutzigweißem gestreiften Gürtel und blauem Schleier mit schiefergrau-rosa...«[2]

Der romantische Ton von *Die Tochter Jephthas* erklingt, gesteigert sogar, ein zweites Mal in dem wenig später (1866-68) entstandenen Bild *Mademoiselle Fiocre im Ballett »Die Quelle«* (siehe S. 29). Man muß es schon wissen, daß das Thema der Welt des Theaters entstammt — Eugenie Fiocre war Tänzerin an der Pariser Oper, und eine ihrer Glanznummern war Léo Delibes' Ballett »La Source«, Die Quelle —, denn dieses erste Theaterbild von Degas wirkt viel eher wie die Schilderung einer orientalischen, von märchenhaftem Zauber erfüllten, betäubend exotischen Szene. Das Theatralische ist hier nicht an eine exakt wahrgenommene Bühnenwirklichkeit gebunden wie dann in den späteren der Sphäre der Bühne geltenden Bildern von Degas, sondern es erscheint als allgemein romantisches, unwirklich phantastisches Element. Und doch ist nicht zu

(1) Vgl. zur Entstehungsgeschichte Eleanor Mitchell, *La Fille de Jephté par Degas, Genèse et évolution*, in: Gazette des Beaux-Arts 1937, II, S. 175-189.

(2) Vgl. Paul-André Lemoisne, *Degas et son œuvre*, Paris 1954, S. 45.

IM KONZERT-CAFÉ: »LA CHANSON DU CHIEN«, 1875-1877
Gouache und Pastell über Monotypie, 57,5 × 45,5 cm. Privatsammlung

Konzert-Café Les Ambassadeurs: Mademoiselle Bécat, 1877-1885
Lithographie, mit Pastellfarben überarbeitet, 23 × 20 cm. Sammlung Mr. und Mrs. E.V. Thaw, New York

übersehen, daß in einer Einzelheit wie dem trinkenden Pferd eine »realistische« Sicht sich bekundet — das ist nicht mehr das romantische »Schlachtroß« des Jephtha-Bildes, wohl aber eine von Anschauung gesättigte Studie des Tatsächlichen; es kommt nicht von ungefähr, daß Degas dieses Pferd später auch in Ton modelliert hat.

Was sich in einem so durch und durch romantischen Werk wie »La Source« in einem Detail wie dem genannten manifestiert, ist ein Symptom, das grundsätzliche Beachtung erheischt. In der zweiten Hälfte der sechziger Jahre ereignet sich die große »Kehre« in Degas' Schaffen, die Abwendung von der Historienmalerei zur konsequent und bewußt vollzogenen Auseinandersetzung mit der eigenen Zeit. Die Gründe dieser Kehre liegen zunächst in der Persönlichkeit von Degas selber; er beginnt jetzt, seinem wahren künstlerischen Temperament gemäß zu gestalten, das bisher doch dem Zwang doktrinärer Forderungen untertan gewesen war. Außerdem aber sind auch eine Reihe von äußeren Anstößen des Wandels namhaft zu machen, die nicht gering veranschlagt werden dürfen.

Entscheidend ist in dem Zusammenhang die Bekanntschaft mit Manet geworden. Durch ihn, den Maler des *Frühstück im Freien* und der *Olympia* — Bilder somit, die eine neue Ästhetik begründeten —, kam Degas auch in Kontakt mit Monet, Pissarro, Renoir, Bazille und Cézanne, die alle Manet als Bannerträger einer neuen Kunst verehrten. Diese Künstler trafen sich jeweils im Café Guerbois, 11, Grande rue des Batignolles (heute Avenue de Clichy), und der Kreis erweiterte sich durch den Zuzug der Radierer Bracquemond und Desboutin, der Maler Fantin-Latour, Guillemet, Stevens und des Zeichners Constantin Guys, der Schriftsteller Astruc, Duranty, Burty, Zola und Duret. Schon 1845, am Schluß seines Berichtes über den »Salon« dieses Jahres, hatte Baudelaire vom »héroisme de la vie moderne« gesprochen und alsdann den berühmten Satz niedergeschrieben: »Derjenige wird sich als der Maler, der wirkliche Maler hervortun, der es vermag, dem heutigen Leben seine epische Seite auszureißen und dem es gelingt, uns mit seinen Farben und Zeichnungen zu veranschaulichen und zu verstehen zu geben, wie groß und wie poetisch wir sind in unseren Krawatten und Lackstiefeln«, und ein Jahr später, im Salonbericht von 1846, heißt es: »Das Pariser Leben ist voller wunderbarer poetischer Themen. Das Wunderbare umhüllt und speist uns wie die Atmosphäre; aber wir sehen es nicht.« Solche und ähnliche Äußerungen und Postulate Baudelaires traten erst jetzt, im Cercle des Cafés Guerbois, in den Bereich einer unmittelbar praktischen Realisierung ein. Was sich in der Gattung der Landschaftsmalerei bei Corot, Rousseau, Chintreuil, Français, Flers, Daubigny, Harpignies, Cabat zuerst schüchtern nur bemerkbar gemacht hatte am Motiv weniger der Großstadt als der unscheinbaren freien Landschaft, die Erfassung des Gegenwärtigen, das schickt sich jetzt an, Leitbild und Zentralidee einer neuen Kunstvorstellung zu werden. Degas hat sich dieses Gedankengut vor allem durch Vermittlung von Duranty angeeignet, des natürlichen Sohnes von Mérimée, der als Romanschriftsteller wie als Kunsttheoretiker von der gleichen scharfen, hellsichtigen Intelligenz geprägt war. Wiewohl Durantys seit

FRAUEN VOR EINEM BOULEVARDCAFÉ
IN MONTMARTRE, um 1877
Pastell über Monotypie, 54,5 × 71,5 cm
Musée d'Orsay, Paris

▷
ABSINTH TRINKER (PORTRÄT VON
ELLEN ANDRÉE UND MARCELLIN DESBOUTIN), 1876
Öl auf Leinwand, 92 × 68 cm
Musée d'Orsay, Paris

Degas

1856 erscheinende Zeitschrift »Le Réalisme« bald wieder eingegangen war, blieben die von ihm vertretenen Ideen, die um die Gegenwart, um das zeitgenössische Leben und seine adäquate künstlerische Sichtbarmachung kreisen, ein sprengkräftiges Ferment. »Wie kommt es, daß wir weniger interessant sind als unsere Vorfahren?... warum haben die Maler die Literatur nicht befolgt, oder warum haben sie nichts außer den romantischen Extravaganzen aufgegriffen?«[1] — das sind Fragen, die Duranty immer wieder stellt. Später, bereits nach 1865, war Degas sowohl in bezug auf seine theoretischen Überlegungen wie auf seine praktische künstlerische Tätigkeit in voller Übereinstimmung mit den Lehren Durantys, und schließlich war es seine Kunst, auf die sich Duranty am häufigsten berufen konnte, als er 1876 in dem Manifest »La Nouvelle Peinture« eine Summe aus den im Café Guerbois diskutierten Meinungen und Problemen zog. »Nehmen wir doch Abschied vom stilisierten menschlichen Körper, der wie eine Vase behandelt ist. Was wir brauchen, ist der charakteristische, der moderne Mensch in seiner Kleidung, inmitten seiner sozialen Umwelt, zu Hause oder auf der Straße... (ist) die Beobachtung seines häuslichen Lebens und jener Besonderheiten, die sein Beruf ihm aufprägt... (ist) ein Mensch mit einem Rücken..., der uns ein Temperament, ein Alter, einen gesellschaftlichen Zustand zeigt..., (sind) Menschen und Dinge, wie sie sich in tausenderlei Formen und unvorhergesehen in der Wirklichkeit zeigen.« Außer Duranty haben von zeitgenössischen Autoren nur noch die Brüder Edmond und Jules de Goncourt einen ähnlich starken Einfluß auf Degas auszuüben vermocht, namentlich mit ihrem Roman »Manette Salomon«, der 1866 erschienen war. Die Zentralfigur dieses Romans ist ein Künstler, der in der Mitte des 19. Jahrhunderts lebt. Auch die Goncourts verlangen, daß die Künstler das Recht haben, das moderne Dasein und die neuen Themen und Motive, die die Großstadt Paris bereithält, darzustellen. Schon 1874 konnte Edmond de Goncourt, als er Degas einen Besuch abstattete, voll Befriedigung bemerken, wie sehr die Kunst von Degas seinen Auffassungen von künstlerischer Modernität entspreche: »Dieser ist bis jetzt von allen, die ich kenne, derjenige, dem es am treffendsten gelungen ist, in seiner Kopie des modernen Lebens die Seele dieses Lebens einzufangen.«[2]

Unter der Einwirkung dieser Programmatik verändert sich in den Jahren von 1865 bis 1870 die Kunst von Degas von Grund auf. Am zurückhaltendsten erfolgte die Wandlung freilich in der von Degas seit jeher geübten Bildnismalerei. Und doch zeichnet die damals entstandenen Bildnisse — um nur die wichtigsten zu erwähnen: *Thérèse de Gas, Herzogin von Morbilli* (siehe S. 12), *Zwei Schwestern* (siehe S. 15), *Madame Gaujelin, Mademoiselle Dobigny, Madame Hertel* (siehe Studie S. 8), *Junges Mädchen am Klavier, Degas und Valernes* (um 1864), *Mademoiselle Hélène Hertel* (1865), *Dame mit Chrysanthemen* (siehe S. 9), *Rose-Adelaïde Degas* (1867), *Monsieur et Madame Morbilli* (1867), *Der Amateur*

(1) Vgl. LEMOISNE, a.a.O., S. 48.
(2) Journal des Goncourt V (1872-1877), Paris 1891, S. 112.

Interieur (Die Vergewaltigung), 1868-1869
Öl auf Leinwand, 81,3 × 113,5 cm
The Philadelphia Museum of Art

Die Büglerinnen, um 1884
Öl auf Leinwand, 82,2 × 75,6 cm
Norton Simon Art Foundation, Pasadena, Kalifornien

Bei der Modistin, 1882
Pastell, 79,9 × 84,8 cm
Sammlung Thyssen-Bornemisza, Lugano

Mademoiselle Lala
im Zirkus Fernando, 1879
Öl auf Leinwand, 117 × 77 cm
The National Gallery, London

◁

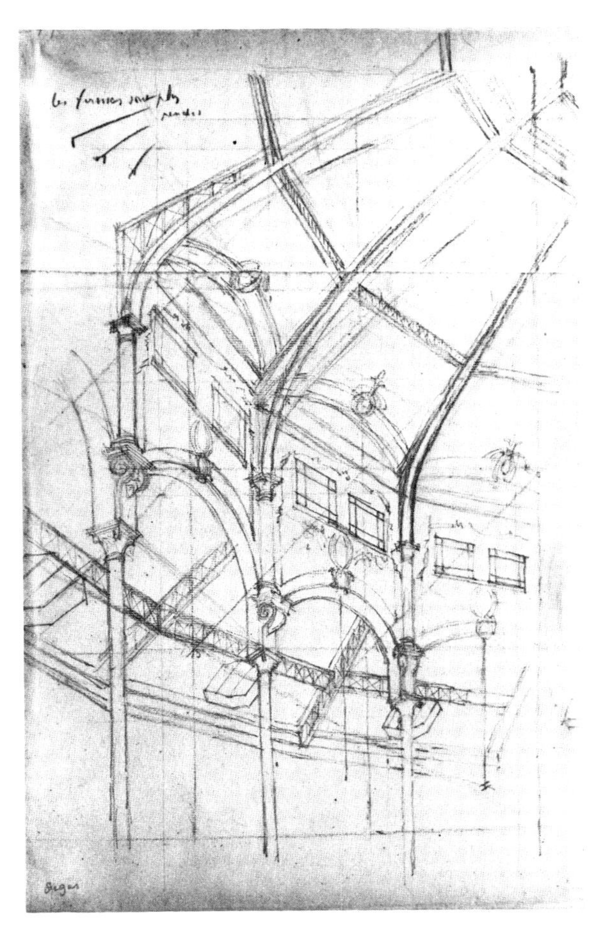

Mademoiselle Lala
im Zirkus Fernando, 1879
Schwarze Kreide und Pastell, 47 × 32 cm
The Barber Institute of Fine Arts
Universität Birmingham

△

Der Zirkus Fernando
(Architekturstudie), 1879
Schwarze und rote Kreide, 48 × 31,3 cm
The Barber Institute of Fine Arts
Universität Birmingham

Zwei sitzende Frauen, um 1878
Pastell, 31,2 × 47 cm
Museum of Art, Rhode Island School of Design
Providence, Rhode Island

(1866), *Mademoiselle Hortense Valpinçon* (1869), *Henri Valpinçon* (1870), *James Tissot im Atelier des Malers* (siehe S. 18), *Der Gitarrenspieler Pagans und Monsieur Degas* (um 1869), *Madame Camus am Klavier* (siehe S. 19) — bei aller Traditionsgebundenheit, die einige dieser Werke nach rückwärts in Verbindung setzt mit der Überlieferung des psychologischen Porträts, wie es bei Corneille de Lyon, Clouet, Holbein und den florentinischen Manieristen seine Blüte erlebt, eine Tendenz zum Charakteristischen, Einmaligen der Gesichter und der Haltungen des Modells aus, die Degas selber theoretisierend umschrieben hat: »Aus dem expressiven Gesicht (akademischer Stil) eine Studie des modernen Gefühls machen... Die Schönheit darf nur eine bestimmte Physiognomie sein.« »Die Leute in familiärer und typischer Haltung porträtieren und vor allem, ihrem Gesicht dieselbe Art von Ausdruck verleihen wie ihrem Körper. Wenn also das Lachen der Typ einer Person ist, dann muß man sie lachen lassen.«[1]

Wenn immer wieder die Menschen in ihrem scheinbar zufälligen So-und-nicht-anders-Sein erfaßt sind, einem momentanen Stimmungszauber hingegeben, so bricht gelegentlich doch wieder ein mehr feierlich offizielles Gehaben durch; das Bildnis der *Madame Camus am Klavier* — die Dargestellte war die Frau des japanbegeisterten Docteur Camus, eines Freundes von Degas und Manet, und besaß als Pianistin einen ausgezeichneten Namen — ist berührt von einer letzten Welle des Ingrisme, und zugleich dokumentiert es, was seine kultivierte Eleganz angeht, die Nähe von Manet. Die meisterliche Komposition fixiert die Figur auf der Fläche und im Raum mittels eines rhombusartigen, aus verschiedenen Gegenständen bestehenden Rahmens. Die Wiedergabe hält gewissermaßen die Mitte inne zwischen »Berufsporträt« und reinem Repräsentationsporträt; jede Einzelheit des Kostüms und die Umgebung überhaupt, bis zu der unwirklich zarten Porzellanfigur, die einen leichten Schatten auf die Wand wirft, bis zum Spiegel mit dem kostbaren, bunten Rahmen, sind der Frau zugeordnet: sie deuten deren Wesen, das von Kultur, von Eleganz und Anmut gesättigt ist und das im Ausdruck des lächelnden Antlitzes als zarte seelische Regung sich offenbart. So gibt erst der

(1) Vgl. Lemoisne, a.a.O., S. 52.

Zusammenklang von menschlicher Figur und ihrer Tätigkeit, der Accessoires, der Geräte und Gegenstände ihrer Umgebung, ihrer individuell geprägten Welt die ganze Summe vom Wesen der Porträtierten.

Radikaler als im Bildnis, das seiner Definition nach als künstlerische Gattung grundsätzlich der Tradition stärker verpflichtet bleibt, hat Degas durch die Wahl neuer Themen seine künstlerischen Absichten zu verwirklichen vermocht: er begründet so etwas wie eine neue Ikonographie, die sich nun konsequent am zeitgenössischen Leben orientiert. Ihre Leitbilder sind Jockeys, Rennplätze, Ballett, Theater und Bühne, Konzertcafés mit ihren Diseusen und schließlich Motive der sozialen Randwelt, des Arbeiterproletariats: Wäscherinnen, Modistinnen.

Englischen Ursprungs, ist das Pferderennen als Sport erst seit dem Ende des 18. Jahrhunderts auf dem Kontinent heimisch und bald in Frankreich auch bildwürdig geworden, bei Carle Vernet und hierauf bei Géricault, die sich beide von englischen Darstellungen anregen ließen. In der Romanliteratur des 19. Jahrhunderts, von Balzac bis Tolstoi, hat das Pferderennen eine bedeutsame Rolle gespielt, und es konnte nicht ausbleiben, daß auch die Maler sich dieses für die Gesellschaft so wichtigen Themas weiter annahmen, wobei Manet den gesellschaftlich eleganten Aspekt herausstellt, Degas hingegen die scharfe Beobachtung des bewegten Tierkörpers — was die Bewegtheit des Lichtes und der Atmosphäre für die Impressionisten, das wurde für Degas die Bewegung des tierischen oder menschlichen Einzelwesens. Seine früheste Beschäftigung mit dem Rennplatz-Vorwurf datiert vom Anfang der sechziger Jahre. Auf dem Rennplatz gilt Degas' vordringliches Interesse den Jockeys, aber sein forschender Blick streift oft auch die Welt der Zuschauer. Dabei kommt es zu so reizvollen Lösungen wie *Kutsche am Rennplatz* (siehe S. 62), wo der Wagen des Herrenfahrers kühn in die untere rechte Bildecke gerückt und vom Rahmen angeschnitten ist. Das verleiht dem Motiv die

Wäschetragende Weißnerinnen, 1885-1895
Kohle, 43,2 x 58,4 cm
Armand Hammer Sammlung, Los Angeles, Kalifornien

Der Tänzer Perrot, stehend, um 1875
Kohle, Contéstift, schwarzer Farbstift mit Weißhöhungen, 47 × 31,2 cm
Fitzwilliam Museum, Universität, Cambridge Großbritannien

Wahrheit des dokumentarisch Zufälligen und Tatsächlichen. Die Menschen im Wagen sind in ihrer gesellschaftlich modischen Eleganz erfaßt — im Verhältnis der Frauen zum Kind scheint außerdem eine auf Vuillard vorausweisende zärtliche Intimität beschworen. Mit der nahsichtig gegebenen Kutsche kontrastiert die weite Ebene, auf der das Rennen vor sich geht und deren Raumerstreckung durch die verschiedene Tiefenwerte markierenden Reiter und eine zweite Kutsche zur Anschauung gebracht wird. Das kühle Grün der Frühlingslandschaft und die ins Graublau spielenden Töne des Himmels halten

Tänzerin, Profilansicht von rechts, um 1874
Kohle, schwarzer Farbstift mit Weißhöhungen, 46,2 × 30,6 cm
Graphisches Kabinett, Louvre, Paris

DER TANZUNTERRICHT, um 1874. Öl auf Leinwand, 85 × 75 cm. Musée d'Orsay, Paris

Eine Ballerina beim Ausruhen, 1880-1882
Pastell, 46,4 × 61,3 cm
The Philadelphia Museum of Art

sich fern von den atmosphärischen Effekten, mit denen gerade damals Monet experimentierte; es ist viel eher die vornehme, subtile Farbenharmonie Corots, die dem Bild, gemeinsam mit der kräftigen Zeichnung, seinen wunderbar geklärten Charakter verleiht.

In immer neuen Ansätzen wandelt Degas das Thema des Rennplatzes unermüdlich ab. Als die Zeitung »Le Globe« am 27. September 1881 photographische Momentaufnahmen des englischen Majors Muybridge der einzelnen Bewegungsphasen des Pferdegalopps reproduzierte, bediente sich Degas ihrer zur Kontrolle seiner Bewegungsstudien. Es hatte sich nämlich gezeigt, daß die Art, wie man seit den englischen Stechern die galoppierenden Pferde darstellte — mit weit nach vorn gestreckten, in gleicher Höhe gehaltenen Vorderläufen — auf einem Irrtum beruhte; so aber gibt Degas die Rennpferde auch noch im Hintergrund des Bildes *Kutsche am Rennplatz.* Das 1878-80 gemalte Gemälde *Vor dem Rennen* (siehe S. 71) ist ein Beispiel jener Werke, die das Transitorische, Augenblickhafte des Bewegungsablaufes auf die Spitze treiben. Das Unsymmetrische der Komposition, das flächig Struktive der Anlage stehen in Übereinstimmung mit dieser Absicht auf Erzielung extremer Momentanität. *Auf dem Rennplatz: Herrenreiter bei einer Kutsche* (siehe S. 63) ist in kompositioneller Hinsicht eng verwandt mit *Kutsche am Rennplatz.* Beide Male ruht das figürliche Schwergewicht exzentrisch im rechten unteren Bildteil bei gleichzeitiger starker Rahmenüberschneidung. Aber an Stelle der »naturalistisch« zeichnerischen Formbehandlung ist nun die Vorherrschaft einer in breiten Flecken aufgetragenen Farbe getreten; nach wie vor ist es zwar die Nervosität und Eleganz, die zuchtmäßige tänzerische Anmut der Pferde, die ihn anspricht, jedoch alles einzelne geht ein in die Harmonie der Farbwerte, die mosaikhaft dicht die Fläche besetzt halten: Mensch, Tier und Landschaft verbinden sich zu einer ornamental flächigen, dekorativen Figuration; es künden sich die Gestaltungsprinzipien an, die in der Spätzeit dominieren werden.

Tänzerin, die Ballettschuhe richtend, um 1874
Bleistift, Kohle, mit weißen Farbstift gehöht, 32,7 × 24,5 cm
The Metropolitan Museum of Art, New York

Tänzerin in Grundstellung, 1874
Contéstift und weißer Farbstift, 41 × 28,5 cm
Fogg Art Museum, Cambridge, Massachusetts

Im Herbst 1872 reiste Degas in Gesellschaft seines Bruders René in die Vereinigten Staaten, um in New Orleans, der Geburtsstadt der Mutter, zwei Brüder zu besuchen, die hier als Baumwollhändler tätig waren. Die Reise war dem Maler insofern sehr willkommen, als der deutsch-französische Krieg, in dem man ihn während der Belagerung von Paris zur Infanterie ausgehoben hatte, eine Zeit der unfreiwilligen Isolierung bedeutete. Nicht nur Degas empfand das Bedürfnis, Frankreich vorübergehend zu verlassen — auch Duret, Manet, Berthe Morisot, Monet hatten in jener Nachkriegszeit das Ausland aufgesucht. Der Aufenthalt in der Neuen Welt dauerte bis April 1873. Degas fühlte sich im höchsten Grad von der

DIE FAMILIE MANTE, um 1884. Pastell auf Papier, 90 × 50 cm
Sammlung David Nahmad, New York

fremdländischen, exotischen, »kolonialen« Umwelt angesprochen — davon zeugen seine zahlreichen Briefe —, im übrigen aber wurde ihm klar, daß er Paris brauchte, um schöpferisch tätig sein zu können. Er meinte, daß nur das ihm durch lange Gewohnheit Vertraute geeignet sei, ihn zu inspirieren. »Ich will nichts anderes mehr sehen als meine Ecke und sie ehrfurchtsvoll erforschen. Die Kunst weitet sich nicht, sie verlangt nach einem Resümee. Und wenn Sie unbedingt Vergleiche wünschen, dann sage ich Ihnen, daß man sich als Spalierbaum aufstellen muß, um gute Früchte hervorzubringen. Man bleibt sein ganzes Leben lang mit ausgebreiteten Armen stehen, mit offenem Mund, um sich die Geschehnisse und das, was einen umgibt, anzueignen und davon zu leben.«(1) So blieb denn die künstlerische Ausbeute der Reise gering. Abgesehen von einigen Bildnissen seiner Verwandten verdankt aber ein Hauptwerk seine Entstehung dem amerikanischen Aufenthalt, das erste Bild übrigens von Degas, das von einem Museum angekauft worden ist, nämlich 1878 von dem der Stadt Pau: das *Baumwollkontor in New Orleans* (siehe S. 17).

In diesem Bild, das am Vorwurf des Interieurs zugleich eine höchst komplexe Neuformulierung des Gruppenporträts verwirklicht — vorne sitzt, im Zylinder, Baumwollproben prüfend, M. Musson, der Onkel des Künstlers; dahinter erscheint, mit entfalteter Zeitung, René de Gas, während der andere Bruder Achille de Gas sich links auf ein Fenstersims aufstützt —, sind die Forderungen auf Wiedergabe zeitgenössischen Stoffes, auf Schilderung tatsächlichen, alltäglichen Geschäftsgebarens unüberbietbar wahr vor Augen geführt. Der Raum des Kontors besitzt eine unpersönliche Nüchternheit und Kühle, eine Beschränkung auf das Zweckmäßige, die auch den Probesälen der Tänzerinnen eignen wird. Der Drang auf Entintimisierung, auf Entpersönlichung des Innenraumes geht so weit, daß dieser Aspekte des öffentlichen Platzes annimmt: Die Gestalten der Käufer und Verkäufer, der Schreiber und Buchhalter stehen oder gehen herum oder sitzen locker verstreut wie auf einem Platz. Die Farben halten sich zurück; es herrschen stumpfe, braune, graue, ockrige Töne vor; Hauptträger des

Drei Studien einer Tänzerin, um 1878
Schwarzer Farbstift mit Weißhöhungen. Privatbesitz

(1) Lettres de Degas (à Frölich, 27 nov. 1872), Paris, 1931, S. 4.

Kleine vierzehnjährige Tänzerin, 1881
Skulptur, Höhe 99 cm
Musée d'Orsay, Paris

künstlerischen, formalen Geschehens ist eine präzis artikulierende Zeichnung; sie gewährleistet die Wirkung lebhaftester Betriebsamkeit und in eins damit einer Klarheit, die alles der Photographie mögliche weit hinter sich läßt — *Baumwollkontor in New Orleans* gehört zu den großartigsten Werken der »naturalistischen« Schaffensepoche von Degas, die identisch ist mit seiner eigentlichen, von 1873 bis 1886 reichenden Reifezeit.

Die Frage, wieso derselbe Meister, für den das Pferd und die Sportswelt des Turfs *eine* Erfüllung seiner künstlerischen Vision bedeutete, sich mit vielleicht noch gesteigerter, immer einseitiger und eigensinniger werdender Neigung dem Theater, der Bühnenrampe, dem Ballett zuwenden konnte, enthält bloß bei oberflächlichem Hinblick Rätsel. Diese anscheinend so unterschiedlichen Themen treffen sich in einer Bewandtnis: der Bewegung. Pferde wie Ballerinen — beide sind rassige Bewegungsgeschöpfe. An ihnen war es Degas möglich, das auszudrücken, was ihm ein Grundanliegen war: Bewegtheit des Körpers, und aus solcher Sicht betrachtet, konnte Paul Valéry Pferd und Ballerina auf geistreiche Weise verknüpfen: »Das Pferd läuft auf Punkten. Vier Nägel tragen es. Kein Tier hat größere Ähnlichkeit mit der ersten Tänzerin, dem Stern der Ballett-Truppe, als ein reinrassiges Pferd in vollkommenem Gleichgewicht.«

Die Theaterbesessenheit ist Degas sozusagen angeboren. Mit dem Theater-, Bühnen-, Ballettbild, zu dem er schließlich gelangte, eroberte er für die Kunst einen neuen Gegenstand. Denn diese Gemälde unterscheiden sich zutiefst vom Theaterbild, wie es die Kunst des 18. Jahrhunderts kennt. Der größte Maler des Rokoko, Watteau, hatte sich an den Gestalten der Commedia dell'arte inspiriert und dadurch das Reich der Bühne erstmals zu einem zentralen Thema der hohen Kunst erhoben, aber schon bei ihm und erst recht bei seinen Nachfolgern ist es schließlich zum bloßen Vorwand, zum Festraum der Gesellschaft als solcher geworden, und wenn etwa Watteau oder auch Tiepolo dennoch die Figuranten der Komödie isoliert darstellen, so geraten sie ihnen zu ins Symbolische transponierten, melancholischen, verwunschenen Chiffren des menschlichen Daseins überhaupt. Degas aber richtet seine unerbittliche Aufmerksamkeit auf die Bühne um ihrer selbst willen, und zwar geschieht das in wachsendem Maße unter der Perspektive des völlig überraschenden Schnappschusses, des fragmentierenden »Blickzugriffs«.

Die ersten Theaterbilder Degas' sind, was nicht wundernehmen kann, Porträts. Im Grunde ist ja das früheste Werk, das der Sphäre der Bühne gilt, *Mademoiselle Fiocre im Ballett »Die Quelle«*, nichts anderes als das Bildnis einer Tänzerin bei einer Aufführung. 1868-69 malte Degas das Bild *Das Opernorchester* (siehe S. 30), das einen Ausschnitt aus dem Orchester der Pariser Oper zeigt: Da ist eine Anzahl von Musikern des Orchesters porträtiert, darunter der Komponist Chabrier, der Flötist Atlès, der Primgeiger Lancien, der Baßgeiger Gouffé und vor allem der Fagottist Dihau — mit den meisten war Degas befreundet. Wieder verwirklicht das Bild, dem sich verschiedene weitere Fassungen und Studien beigesellen, in extremster Form das Postulat auf unrepräsentative Darstellung des Menschen inmitten seiner Berufswelt.

Vier Studien einer Tänzerin, 1878-1879
Kohle und Weißstift, 49,1 × 32 cm
Graphisches Kabinett, Louvre, Paris

Nach seiner Rückkehr aus Amerika stürzte Degas sich mit Feuereifer auf das lange entbehrte Motiv. Jetzt vollzieht er den entscheidenden Schritt: er gibt nicht mehr bloß den Blick aus dem Zuschauer- oder Musikerraum auf die Bühne, sondern er tritt, als kühler, sachlicher Beobachter, hinter die Bühne, um die Ballettmädchen bei der Probe zu belauschen. Das Theater wandelt sich vom akzidentiellen Bestandteil des Bildes zum vollwertigen, ausschließlichen Bildvorwurf. In Gemälden wie *Der Ballettsaal der Oper in der Rue Le Peletier* (siehe S. 32) und *Die Tanzschule* (siehe

Tänzerin, vierte Position von vorn auf dem linken Fuß, 1882-1895
Braunes Wachs, Höhe 57,5 cm
Sammlung Mr. und Mrs. Paul Mellon
Upperville, Virginia

S. 32), erscheinen die Balletteusen bei der Probe in Räumen, die nicht statisch in sich begrenzt sind, vielmehr, exzentrisch wahrgenommen, in die Tiefe fliehen, immer als Ausschnitt ohne Zentrum, kahle Örtlichkeiten, in denen die strengen, rituellen Exerzitien der Ballettratten vor sich gehen. Die Mädchen stehen an den Wänden entlang, hören auf den Ballettmeister und den Geiger. Sie sind von blumiger Anmut, schwebende Kuppeln aus Seide, und sie sind dennoch mit fanatischem Wirklichkeitssinn erfaßt in den genauen Bewegungen, die die Übung vorschreibt und die von lässiger Ruhe zu äußerster Anspannung reichen. Die Verteilung der Figuren im Raum ist von letzter Präzision, und tote Geräte, ein Stuhl, ein Notenpult, werden rhythmisch auf die menschlichen Gestalten bezogen. Degas ist ein Meister der spannungsgeladenen Beseelung des Raumes: er bringt die Leere zum Klingen. Das hat, aus kongenialer Sicht heraus, keiner stärker nacherlebt als Liebermann, wenn er von Degas sagt: »Er komponiert nicht nur in den Raum, sondern mit dem Raum. Der Abstand eines Gegenstandes vom andern macht oft die Komposition aus.«[1]

Degas hat alle seine Ballettbilder im Atelier gemalt, auf Grund kleiner, während der Tanzstunden gemachter Skizzen. Auch in dem Belang befindet er sich in klarstem Gegensatz zu den Impressionisten: er beobachtet, ohne zu malen, und er malt, ohne zu beobachten.[2]

Und nun, nach den Werken, die den Probesaal oder die Bühne wenn auch ausschnittmäßig, so doch als bildhafte Ganzheit festhalten, kommt es zu jenen erstaunlichen Variationen des gleichen Motivs, die ihren Reiz vorab daraus beziehen,

(1) Max Liebermann, *Gesammelte Schriften*, Berlin 1922, S. 77.
(2) Vgl. John Rewald, *Geschichte des Impressionismus*, Zürich/Stuttgart 1957, S. 187.

daß der Maler mit den Blickrichtungen frei umspringt, den Standpunkt beliebig verändert, so daß sich die Tänzerinnen in den überraschendsten Stellungen darbieten. Sie werden, einzeln oder in Gruppen, mehr und mehr aus der Nähe aufgenommen. Ohne dreidimensional gestalteten Raum um sich zu haben, füllen sie vor bunten Farbflächen, vor Kulissen und Vorhängen, erscheinungshaft die Bildebene. Die Krone gebührt unter diesen Bildern den verschiedenen Fassungen der *Tänzerin mit Blumenstrauß* (um 1877-78). Als Sylphe ohne Fleisch und Bein (Pierre Cabanne), mit vom letzten Schwung des ausklingenden Tanzes weit gespreizten Armen grüßend — so bietet die Tänzerin sich dem Publikum dar, von künstlichem Licht übergossen, vor der phantastischen Unwirklichkeit der Bühnendekoration, in Übereinstimmung mit den Worten aus einem Sonett von Degas: »Gleichgewicht, Balance und dein Flug und dein Gewicht.«

Die Schwerelosigkeit solcher Beschwörung ist nur scheinbar pure Impression; sie ist zahllosen scharf beobachtenden und fixierenden Studien abgewonnen. Degas selber hat es betont: »Keine Kunst ist so wenig spontan wie die meine. Was ich tue, ist das Ergebnis des Nachdenkens und des Studiums der großen Meister. Von Inspiration, Spontanität und Temperament weiß ich nichts.« Und endlich: »Man muß zehnmal, ja hundertmal den gleichen Gegenstand wiederholen. In der Kunst darf nichts dem Zufall gleichen, nicht einmal die Bewegung.«

Die späten Tänzerinnenbilder rücken die Figuren aus jedem naturalistisch räumlichen Ambiente heraus. Es triumphiert rein das leuchtende Gewebe eines farbenbunten Feuerwerks, das die Gestalten zu baren Emanationen des Kolorits werden läßt, schicksalslos, ohne eigene Individualität, hingegeben dem Rhythmus einer schwebenden Bewegung. Tanz ist weder mühsam zu erlernendes Métier noch elementare Lebensäußerung, nicht mehr bloß vordergründiges Schauspiel der Schönheit, sondern ein in den Bezirk des Mystischen entrücktes festliches Ritual.

Pferd und Jockey: Pferd auf dem rechten Fuß gallopierend, 1865-1881
Braunes Wachs, 23,8 cm
Sammlung Mr. und Mrs. Paul Mellon
Upperville, Virginia

Zwischen 1875 und 1880 besuchte Degas nicht selten Konzertcafés. Diese Lokalitäten, wo sich wie nirgends sonst großstädtischem zeitgenössischen Alltagsleben der Puls fühlen ließ, fesselten ihn in besonderem Maße. Das Pastell

KUTSCHE AM RENNPLATZ, 1879
Öl auf Leinwand, 35 × 54,3 cm
Museum of Fine Arts, Boston

Auf dem Rennplatz
Herrenreiter bei einer Kutsche, 1877-1880
Öl auf Leinwand, 66 × 81 cm
Musée d'Orsay, Paris

Konzert-Café Les Ambassadeurs von 1876-77 gehört zu den Meisterwerken der dem Thema gewidmeten Bilder. Was Degas hier gestaltet, das ist, auf die wirkkräftigste, schlagendste Formel gebracht, der ganze erregende Flitter und Glanz und Zauber des großstädtischen Konzertcafés, die hinreißende Apotheose einer von tausendfältigen optischen Eindrücken bestimmten künstlichen Lichtwelt. Eine ähnliche Thematik, aber ohne die festlich heitere Verklärung, erscheint in dem berühmten *Frauen vor einem Boulevardcafé in Montmartre* (siehe S. 42). Man blickt von innen her auf den nächtlichen Boulevard, in eine öde, triste Stadtnacht hinaus, wo schemenhaft, als dunkler Schatten, ein Passant vorübergeht.

Vorn sitzen Dirnen, auf Kunden harrend, voll »abwartenden Stumpfsinns der Gewerbemäßigkeit« (Hausenstein). Degas gibt eine Endmöglichkeit der Interieurmalerei: Das Interieur ist nicht mehr bergender Raum, sondern nach außen geöffnet, der Straße anverwandelt, und so ist es nur folgerichtig, daß in ihm Menschen sich aufhalten, die kein Zuhause mehr besitzen, die eine soziale Randexistenz verkörpern. Hier reiht sich das gleichzeitige Gemälde *Absinth Trinker* (siehe S. 43) an. Über alle sozialkritische Programmatik hinaus, die es mit einem die verheerende Wirkung des Schnapskonsums geißelnden Buch wie Zolas »Der Totschläger« gemeinsam haben mag, verdichtet sich in ihm ein »existentielles« Bild des Menschen von beängstigender Aussagegewalt. Zwei Gäste befinden sich nur noch im Café, abgerückt in die rechte obere Ecke des Bildes, zwar im Innenraum sitzend, aber mit der grauen Wesenlosigkeit des gespiegelten Straßenraumes im Rücken. Gähnende Leere umgibt das Paar, für das die Schauspielerin Ellen Andrée und der Radierer Marcellin Desboutin Modell saßen, wobei sie über alle Bildnisähnlichkeit hinaus verwandelt wurden in namenlose Träger eines anonymen

Tänzerinnen an der Stange
1877-1879
Öl mit Terpentin und Sepia auf grünem Papier, 48 × 63 cm
The British Museum, London

▷

Zwei Tänzerinnen an der Stange, 1877-1879
Pastell auf Papier, 66 × 51 cm
Privatsammlung

Degas

TÄNZERINNEN AUF DER BÜHNE, 1877-1879. Pastell und Gouache, 66 × 36 cm
Sammlung Thyssen-Bornemisza, Lugano

TÄNZERINNEN IN DEN KULISSEN, um 1880. Pastell und Tempera auf Papier, 69,2 × 50,2 cm
Norton Simon Art Foundation, Pasadena, Kalifornien

VIER TÄNZERINNEN
VOR DEM AUFTRITT, um 1899
Öl auf Leinwand, 151 × 180 cm
National Gallery of Art
Washington, D.C.

TÄNZERINNEN
IN DEN KULISSEN, um 1875
Öl auf Leinwand, 74,1 × 60,5 cm
The Art Institute, Chicago

Schicksals. Die im *Absinth Trinker* veranschaulichte abgründige Trostlosigkeit hat am suggestivsten Gotthard Jedlicka nachempfunden: »Entleerung und Leere werden in dem Bild sichtbar gemacht. Wir kennen kein anderes Werk der abendländischen Malerei, in dem sie mit derselben Dichtigkeit auftreten. Die seelische Atmosphäre, die darin gestaltet ist, bildet den stärksten Gegensatz zu jener Mischung von Daseinswohligkeit und Lebenssüchtigkeit, die in der Malerei der programmatischen Impressionisten zum Ausdruck gelangt. Und dabei ist dieses Bild in den eigentlichen Kampfjahren der Impressionisten enstanden... Die Stimmung, die Degas wiedergeben wollte, nein, wiedergeben mußte: die Flucht zweier Menschen in eine Gemeinsamkeit, in der ihre Einsamkeit nur um so erschreckender in Erscheinung tritt.«[1] Das den mißverständlichen Titel *Die Vergewaltigung* (siehe S. 45) tragende Bild, das sich vielleicht auf eine Szene von Zolas Roman »Madeleine Férat« bezieht — Madeleine sagt zu Francis: »Du leidest, weil du mich liebst und ich dir nicht angehören kann« —, rückt nach der vergegenwärtigten Stimmung in die Nähe von *Absinth*; nur daß der tragende Gehalt nun auf der Entzweiung der Geschlechter liegt — großartige Vorwegnahme eines Grundmotivs der »fin de siècle« - Malerei, das vor allem Lautrec und Munch formulieren werden.

Frauen vor einem Boulevardcafé in Montmartre, Absinth Trinker, Die Vergewaltigung so gut wie die vereinzelten Bilder, die die Sphäre des Bordells betreffen, berühren sich in bezug auf ihren allgemeinen »sozialen« Aspekt mit einem weiteren fundamentalen Themenkreis von Degas: Er einbegreift den arbeitenden, »niederen« Menschen, nunmehr ohne Umweg über eine wie immer geartete Zone des Bohèmehaften, die ja stets einen Rest von Romantik enthält. Der Folge der Büglerinnen-, Wäscherinnen-, Modistinnen-Gemälde ist in ikonographischer Hinsicht Daumier vorausgegangen. Er gibt aber den Arbeiter als ins Mythische gesteigerte heroische Gestalt; er kennt, von unsentimentaler Liebe bewegt, aus heißem Miterleben heraus, dessen Größe selbst im Elend.[2] Für Degas dagegen hat diese ganze heldische Seite der modernen Arbeitsverrichtung keine Gültigkeit mehr. Die *Büglerinnen* (siehe S. 46): das sind Frauen von erschreckender Häßlichkeit; ihre Tätigkeit ist von stumpfsinniger Banalität; Ruhe und Anspannung kontrastieren in den beiden Figuren; die eine stützt sich mit ganzer Kraft auf das Bügeleisen, die andere gähnt und reckt sich; ihr weit geöffneter Mund ist eine Momentaufnahme von wahrhaft desillusionierender, monströser Vulgarität — diese Arbeiterinnen sind zu Megären verhäßlicht. In den Modistinnenbildern tritt freilich das Streben auf Verhäßlichung zurück; jedoch in den ausgefallensten Stellungen erfaßt, von farbigen Hüten und oft von schrägen Spiegeln umgeben, an den Rand gerückt, sind die Frauen restlos der Gebärde des Anprobens überantwortet, so daß jegliche repräsentative Würde erlischt; nicht modisch mondäne, gesellschaftliche oder

(1) Gotthard Jedlicka, Degas, »L'Absinthe«, in: Pariser Tagebuch, Frankfurt am Main 1965, S. 111.
(2) Vgl. Hans Sedlmayr, Größe und Elend des Menschen, Wien 1948, S. 64.

Jockeys im Regen, 1880-1881
Pastell, 46 × 55 cm
Camphill Museum, Glasgow

VOR DEM RENNEN, 1884
Pastell auf Papier, 50 × 63 cm
Privatsammlung

Bildnis Madame Ernest May, 1881
Schwarze Kreide mit Pastell Erhöhungen
30 × 23,5 cm
Privatsammlung, San Francisco

kostümliche Eleganz und weibliche Anmut dürfen laut werden. In diesen Szenen ist im Grunde bereits jener Vorwurf enthalten, den der späte Degas, ab 1880, für mehr als zwei Jahrzehnte unablässig und inständig umkreist: die Frauen bei der Toilette. Die französischen Maler des 19. Jahrhunderts haben, wenn auch nicht in dem Grade wie diejenigen des »Dix-huitième«, stets aufs neue wieder der Frau, der weiblichen Schönheit gehuldigt; es genügt, an die Verherrlichung zu erinnern, mit der Manet die Pariserin beschenkt, oder an die Zärtlichkeiten, mit denen Renoir malend die Frauen überhäuft. Von all dem bleibt bei Degas keine Spur; aber er kennt auch nicht wie Ingres den heidnischen Kult weiblicher Körperformen oder Chassériaus Wollust des befriedigten Liebhabers; bei ihm gibt es Intimitäten ohne Intimsein, Animalisches ohne Sinnlichkeit; bei ihm erscheint die Frau als ein sich putzendes Tier. [1]

Die Aktbilder mit Frauen, die sich baden, waschen, trocknen, abreiben, kämmen oder kämmen lassen, sind meistens vom Rücken gesehen; sie scheinen der Intimität ihrer Situation, im Boudoir, im Waschraum, überhaupt keine Beachtung zu schenken. Letztlich handelt es sich um ein Eindringen in die privateste Sphäre dieser Frauen — sie sind schutzlos der Neugierde des Beobachters preisgegeben, wahrgenommen mit mitleidloser Analytik und einer »gewissen Grausamkeit« (Vollard), so daß ein richtiger Instinkt von den Bildern sagen konnte, sie seien wie durch ein Schlüsselloch gemalt: Der Betrachter bekommt diese Frauen in Stellungen zu Gesicht, die oft etwas Lächerliches, Enthüllendes, den Körper Deformierendes haben, in einer Weise, wie sonst eigentlich nur der Arzt seine Patienten sieht. [2] Die Zeitgenossen haben sich denn auch an dieser desillusionierenden Schau der Frau gestoßen, beispielsweise Huysmans, wenn er Degas, freilich halb ironisch, vorwirft, er schleudere dem 19. Jahrhundert die größte Beleidigung ins Gesicht, indem er das bisher verschont gebliebene Idol, die Frau, gestürzt und dadurch erniedrigt habe, daß er sie in der Badewanne in demütigenden Haltungen bei ihrer intimsten Körperpflege

(1) Vgl. Pierre Cabanne, *Degas*, München o.J., S. 213.
(2) Vgl. Fritz Laufer, *Das Interieur in der Malerei des 19. Jahrhunderts*, ungedruckte Zürcher Dissertation 1952, S. 213.

SECHS FREUNDE DES MALERS, 1885
Pastell und schwarze Kreide auf grauem Papier, 113 × 70 cm
Museum of Art, Rhode Island School of Design, Providence

Aktstudie
um 1890-1895
Pastell und Kohle
62 × 48 cm
Privatsammlung

Badende, um 1890
Kohle auf weißem Papier
60 × 46 cm
Privatsammlung

darstelle. In Tat und Wahrheit geht es Degas natürlich nicht um eine bewußt durchgeführte Erniedrigung oder Bloßstellung der Frau — es gibt ja auch unter den Toilettenbildern so wunderbar und maßvoll abgeklärte wie *Die Toilette* (siehe S. 77), bei der die Frau ihre strahlende Körperlichkeit wohlig dem Licht darbietet. Vielmehr ist es wieder der Bewegungsablauf und seine Wiedergabe im Bild, was ihn primär interessiert. Dergestalt resultiert schließlich so etwas wie eine wahre »Enzyklopädie« aller nur denkbaren Haltungen und Gebärden der Frau im Badezimmer.

Die Themenwelt, die Ikonographie von Degas, ob es sich nun um den Turf, das Ballett, das Theater, um Proletariat, Modistinnen, Frauen bei der Toilette handelt, bezieht ihre Einheit aus folgendem Sachverhalt: Stets ist es ein anonymer Mensch, der da erscheint, jeweils völlig und restlos seiner Beschäftigung hingegeben, die fast immer mit einem Bewegungsablauf übereinstimmt; die menschliche Figur ist nicht so sehr als

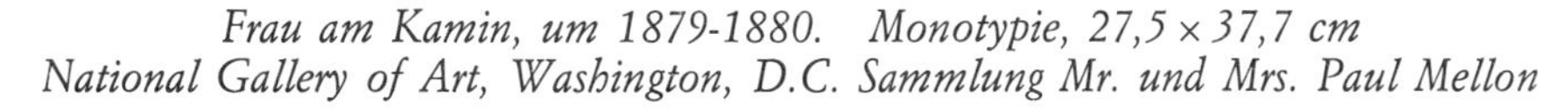

Frau am Kamin, um 1879-1880. Monotypie, 27,5 × 37,7 cm
National Gallery of Art, Washington, D.C. Sammlung Mr. und Mrs. Paul Mellon

Das Bad, um 1883
Pastell, 31 × 28 cm
Privatsammlung

Die Toilette, 1886
Pastell auf Papier, 74 × 60,6 cm
The Metropolitan Museum of Art, New York

▷

Degas

Die Badewanne, um 1886
Pastell auf Karton, 60 × 83 cm
Musée d'Orsay, Paris

Frau im Bad, um 1892
Öl auf Leinwand, 72,4 × 90,8 cm
Art Gallery of Ontario, Toronto

SICH ABTROCKNENDE FRAU, um 1894
Pastell, 67 × 86 cm
Musée d'Art et d'Histoire, Neuchâtel
Legat Yvan und Hélène Amez-Droz

bewegter Körper, sondern als verkörperte Bewegung begriffen. Sie tritt nicht als reich differenzierte, vielschichtige Persönlichkeit auf, die potentiell gleichsam über verschiedene Möglichkeiten ihrer Lebensformung und Lebensgestaltung verfügt; sie ist vielmehr mit einer einzigen Daseinslage restlos identifiziert, weshalb der allgemeinen Bewegtheit der Figuren notwendig die Qualität des Anonymen anhaftet.

Im Dienste dieses spezifischen Menschenbildes stehen die formalen Eigentümlichkeiten dieser Kunst. Den Raum stellt auch Degas, wie die Impressionisten überhaupt, grundsätzlich mit den Mitteln der naturalistischen, illusionistischen Perspektive dar, aber er überspitzt und radikalisiert das Grundschema des impressionistischen Bildausschnittes durch Schrägführungen und scharfe Verkürzungen. Es ist ein zutiefst neues Raumgefühl, das sich bei Degas bekundet: Er versteht den Raum als strömende, irrationale Wesenheit, in deren Mitte die Figuren sich, ausgesetzt, ihrerseits extrem bewegt, zu behaupten haben. Bei Lautrec und Munch bekommt dieses Raumgefühl dann die für einen guten Teil der modernen Kunst, der Kunst des 20. Jahrhunderts, maßgebliche Ausprägung. Notwendiges Korrelat dieses Raumerlebnisses sind Phänomene wie die Überschneidung, das Hereinragen ins Bild, das Fragmentierte, das Ausschnitthafte, die Affinität zur Sehweise des Photographen: der »Schnappschuß«, die sezierte Sekunde — all das, was Fénéon auf die Formel »Cinématique infaillible — Le Moderne exprimé« gebracht hat.

Sich abtrocknende Frau, um 1903
Kohle mit rotbrauner Kreide Erhöhungen
71 × 71 cm
Sammlung David Nahmad, New York

Sich Haare abtrocknende Frau
um 1895-1902
Kohle, 71,7 × 68,9 cm
Foto Acquavella Galleries, New York

Frau im Bad, 1895-1900
Pastell, 29 × 25 cm
National Museum of Wales, Cardiff

Gegenüber der starken Betonung des Räumlichen gewährleisten diese Kompositionsprinzipien immer auch die Herrschaft der reinen Flächenwerte. Zweifellos sind sie wesentlich vom japanischen Farbholzschnitt angeregt. Seit Bracquemond 1856 die ersten Holzschnitte von Hokusai entdeckt hatte, war die Aufmerksamkeit der Künstler auf diesen so charakteristischen Zweig der japanischen Kunst gelenkt worden. Zwar erreicht die Japan-Mode erst bei Gauguin, van Gogh, Toulouse-Lautrec, Bonnard und Vuillard den Zenit, vorher aber war Degas am stärksten vom Neuen betroffen, das sich hier äußert, handle es sich nun um den graphischen Stil, die Subtilität der Linienführung, den allgemein dekorativen Habitus, die exzentrische Figurenverteilung oder um das Fragmentierungsprinzip des japanischen Farbholzschnittes.

Das Licht konnte zutreffend als zentrales Thema der impressionistischen Malerei bezeichnet werden. [1] Es wird am Vorwurf des Freiraums, der Landschaft beschworen, und zwar als Element des exakten Naturalismus, das sich freilich als übergeordnete, umfassende Wesenheit zu erkennen gibt: Das Licht drängt den Individualitätswert des einzelnen, ob es nun Menschen oder Dinge seien, zurück zugunsten der unumschränkten Herrschaft des Atmosphärischen. Dieses impressionistische Darstellungssystem des aufgelösten, vibrierenden Pinselfleckgefüges kennt Degas nicht. Er wahrt, bis tief in die siebziger Jahre hinein, dem Schatten als toniger, von Grautönen durchsetzter Farbe sein Recht. Zudem steht bei ihm immer als notwendige Voraussetzung der Bewegungswiedergabe die Zeichnung im Vordergrund der künstlerischen Gestaltungsmittel — dadurch sondert sich Degas am entschiedensten vom programmatischen Impressionismus. »Die Tänzerin ist für mich nur ein Vorwand zu zeichnen«, »Die Zeichnung ist nicht die Form, sie ist eine Art, die Form zu sehen« — solche Aussprüche beweisen eine geradezu

Frau in der Wanne stehend, um 1895-1900
Kohle, 43,5 × 29,5 cm
Sterling and Francine Clark
Institute, Williamstown, Massachusetts

(1) Vgl. Fritz Novotny, *Die großen französischen Impressionisten*, Wien 1952, S. 13.

Nach dem Bad, um 1895-1900
Kohle auf gelbem Papier, 35,7 × 25,2 cm
Sterling and Francine Clark Institute
Williamstown, Massachusetts

manische Leidenschaft für die Zeichnung. Beständig bleibt die zeichnerische Struktur ungefährdet durch die flimmernden Augenreize und die verwehende Formflüchtigkeit des programmatischen Impressionismus.

Um 1880 verschwinden die silbergrauen Töne mehr und mehr; sie werden ersetzt durch leuchtende rote bis rotgelbe Lichtfarben; die gedämpften machen warmen Farben Platz. Zum Hauptmedium dieses Stilwandels wird das Pastell. Degas' Hinwendung zum Pastell ist schrittweise erfolgt. Bis 1869 war es ihm lediglich beiläufiges technisches Verfahren; um 1875-76 benützt er es für wichtige Bilder, und nach 1880-85 wird es dominierend — die Ölfarbe scheint ihn kaum mehr zu interessieren oder sie nähert sich durch verwischte und schummerige Malweise der Technik und Wirkungsweise des Pastells an wie zum Beispiel in der *Frau mit rotem Schal* (1886) oder *Vier Tänzerinnen vor dem Auftritt* (siehe S. 68). Auch Manet und Renoir haben sich dem Pastell zugewandt, aber bloß sporadisch, am Rand. Bei Degas allein rückt es ins Zentrum des künstlerischen Schaffens. Er erobert ihm eine Stellung zurück, die an die große Zeit des Pastells im 18. Jahrhundert erinnert. Degas erkannte im Pastell ein Mittel, das zwischen Zeichnung und Malerei die Waage hält, das ihm die Möglichkeit schenkt, zeichnend zu malen und malend zu zeichnen. Degas hat dem Pastell die äußersten in ihm enthaltenen Möglichkeiten abgewonnen; er hat es überdies kombiniert mit andern technischen Verfahrensweisen, mit Gouache, Aquarell und peinture à l'essence (Terpentin-Malerei) und sogar mit der Monotypie. Im Pastell gelangt Degas schließlich zur Auflösung der unkörperlich aufgetragenen Farbflächen; offene Farbstrichlagen der Pastellkreide, gleichmäßig, meist vertikal oder schräg parallel geführt, nehmen die Bildebene in Beschlag, wobei mehrere Farbschichten, jeweils für sich fixiert, sich überdecken und ein schweres, dickes, reliefartiges Impasto entsteht. Zunächst erweist sich dieses Verfahren als stilgeschichtlich verwandt mit der Farbkommastruktur der Impressionisten; dann aber führt es weiter: In den späten Pastellen kommt es zu einer Abwendung von allen naturalistischen und illusionistischen Bindungen in einem Sprühregen und in Farbwirbeln von feurigen Pastelltönen.

Die Dunkelwerte in Farbe und Raum haben ausgespielt; die Farbe, als Geflimmer, als Tanz aus Schraffen und Fleckanhäufungen, bekommt Gewalt über die Linie, die sich nur noch in Bündeln von modellierenden Kraftströmen aus Farbstrichen manifestiert, welche Körper und Raum auf elementare, summarisch angedeutete Grundformen reduzieren, was freilich nicht heißt, daß die Bewegungen der Tänzerinnen und der Frauen bei der Toilette nicht wie eh und je ganz genau und präzis festgehalten seien.

Das Zugleich aber von scharf fixiertem Bewegungsablauf und bengalischer Leuchtfülle und Exotik der Farbe verleiht den späten Werken den Erscheinungscharakter des Visionären und den Menschen etwas Gespensterhaftes, Dämonisches, wodurch alle impressionistischen Prämissen weit überschritten werden. Hierin beruht die spezifische Modernität der Spätschöpfungen Degas', die sie in unmittelbare Nähe zum Fauvismus und mithin zu einer fundamentalen Grundströmung der Kunst des 20. Jahrhunderts rückt. Von den äußeren Lebensumständen des Meisters bleibt nicht mehr viel zu erzählen übrig. Nach der Rückkehr aus Amerika hatte er sich der Gruppe der Impressionisten genähert. Sowohl an der ersten Ausstellung der Gruppe von 1874 wie an den folgenden beteiligte er sich, auch wenn er sich zusehends kritisch über seine Beziehungen zu den programmatischen Impressionisten äußerte: »Ich habe immer versucht, meine Kollegen dahin zu bringen, neue Möglichkeiten des Gestaltens auf dem Wege des Zeichnens zu suchen, den ich für fruchtbarer als den der Farbe halte, aber sie wollten mich nicht hören.«(1)

Halbhoher weiblicher Akt, um 1895
Kohle mit Weißhöhungen, 53,9 × 38,8 cm
Fitzwilliam Museum, Cambridge, England

1874 war der Vater gestorben. Er ließ die Bank in bedrängter Lage zurück, und in den folgenden Jahren erlitten seine Brüder durch schlechte Geschäftsführung schwere finanzielle Verluste, die Degas bewogen,

(1) Vgl. Burlington Magazine, Nov. 1917.

einen Teil seiner Sammlung zu verkaufen, um ihnen dadurch helfen zu können — eine Angelegenheit, die Degas sehr schwer genommen und die er als Schandfleck auf der Ehre seiner Familie empfunden hat. Die Lücke in seiner Sammlung hat er freilich bald wieder geschlossen, denn zeit seines Lebens war er ein leidenschaftlicher Sammler von sicherstem Urteil und Geschmack. Vorübergehend dachte er daran, diese Sammlung als Stiftung komplett zu hinterlassen, allein der traurige Eindruck, den das Beispiel des Museums Gustave Moreau auf ihn machte, bewog ihn, von solchen Plänen abzusehen. Nach seinem Tode wurde die Sammlung versteigert — Degas besaß u.a. zwei Greco, einen Cuyp und vor allem Bilder von

Gruppe von Tänzerinnen, 1899
Pastellskizze, 51 × 48 cm
Privatbesitz

Tänzerin, sich die Achsel richtend, um 1895
Pastell und Kohle, 47,/ × 39 cm
Kunsthalle Bremen

Drei Tänzerinnen, um 1890
Kohle und Pastell, 61 × 47 cm
Museum of Fine Arts, Boston

Grüßende Tänzerin, um 1895
Kohle mit Weißhöhungen, 44,5 × 30,5 cm
The Wadsworth Atheneum, Hartford, Connecticut

Ingres, Delacroix, Corot, Cézanne, Manet, Mary Cassatt, Pissarro, Sisley, Renoir, Gauguin, van Gogh, um die zahlreichen Werke seiner engsten Freunde wie Bartholomé und Rouart außer acht zu lassen.

Seit 1885 machte eine zunehmende Verschlechterung der Sehfähigkeit Degas zu schaffen. Zwar reiste er weiterhin viel — so 1887 mit Boldini nach Spanien und Marokko, 1890 mit Bartholomé durch Burgund —, aber nach 1892 trat die Krankheit in ihre kritische Phase. Sie zwang ihn schon damals, auf die Ölmalerei zu verzichten. Um 1904-06 war Degas fast völlig erblindet. Aus dieser Zeit stammt das bittere Wort: »Alles erscheint einem

Blinden, der so tun will, als könne er sehen, entfernt...« Es war ihm kaum mehr möglich zu arbeiten, obgleich die Hand frei und der Geist wach und hell blieben — das erlöschende Auge versagte sich. Degas beschränkte sich darauf, frühe Bilder zu retouchieren. Doch entstanden auch jetzt noch neue Werke von großem Format und breiter Faktur, die überhaupt für die Spätwerke kennzeichnend ist und die durch die Krankheit eine letzte Freiheit der Gestaltung bekommt. Am ehesten noch fand er Trost im Modellieren von Statuetten — Tänzerinnen und Pferde (siehe S. 58, 60 und 61).

Mit diesen Plastiken, die hier nicht gewürdigt werden können, stößt Degas zu äußerst zukunftsträchtigen Zonen der plastischen Gestaltung vor; durch sie gehört er zu den großen Malerplastikern des 19. Jahrhunderts, die die wichtigsten Vorläufer der »avantgardistischen« Plastik des 20. Jahrhunderts sind. Die Einsamkeit, die Degas schon von jeher umgab, wurde in den letzten Jahren übermächtig. Ein Freund nach dem andern starb weg, zuletzt, 1912, auch der intimste, Henri Rouart, im selben Jahr übrigens, in dem Degas gezwungen war, sein Atelier in der Rue Victor-Massé aufzugeben. Es war Suzanne Valadon, die ihm am Boulevard de Clichy eine neue Wohnung verschaffte. Degas erlebte 1914 noch die Genugtuung, daß mit der Sammlung Camondo eine große Zahl seiner hervorragendsten Werke in den Louvre kam. In den letzten Jahren konnte er nicht mehr arbeiten; einsam irrte er stundenlang durch die Stadt, die er so geliebt hat. Photographien, die Bartholomé, der letzte der noch lebenden Freunde, 1915 von ihm machte, zeigen Degas als eine Art blinden Homer, mit einer Physiognomie voll vergeistigter, erschütternder Ausdruckskraft, die es verständlich macht, daß Arsène Alexandre den Vergleich mit König Lear ziehen konnte. Der Mann, der am 27. September 1917 diese Welt verließ, ein Ereignis, das geringe Beachtung fand inmitten der großen Geschehnisse des Krieges, hatte sich selber überlebt; sein äußeres Leben war in seltenem Ausmaß bloßer Durchgang gewesen für den Hervorgang des Bleibenden, des Werks.

Tänzerin, sich den Schuh richtend, um 1885
Kohle und weißes Pastell, 43,2 x 29,4 cm
Norton Simon Art Foundation
Pasadena, Kalifornien

BALLETTSAAL, um 1891. Öl auf Leinwand, 36 × 88 cm
Yale University Art Gallery, New Haven, Connecticut

Tänzerin, sich das Trikot richtend
um 1880
Bleistift, Kohle und weißer Farbstift
24,2 × 31,3 cm
Fiftzwilliam Museum, Cambridge
Großbritannien

TÄNZERINNENFRIES, um 1883. Öl auf Leinwand, 70,5 × 200,8 cm
The Cleveland Museum of Art

Wir danken den nachfolgend genannten Eigentümern der in diesem Band wiedergegebenen Arbeiten, ebenso auch jenen, die anonym bleiben wollen, für freundliche Genehmigung zur Reproduktion der Werke:

B.R.D.:	Kunsthalle, *Bremen* - Städelsches Kunstinstitut, *Frankfurt.*
FRANKREICH:	Bibliothèque nationale, *Paris* - Cabinet des Dessins, Louvre, *Paris* - Musée d'Orsay, *Paris* - Musée des Beaux-Arts, *Pau.*
GROSSBRITANNIEN:	The Barber Institute of Fine Arts, *Birmingham* - Fitzwilliam Museum, *Cambridge* - National Museum of Wales, *Cardiff* - *Glasgow* Art Gallery and Museum - The British Museum, *London* - The National Gallery, *London.*
KANADA:	Art Gallery of Ontario, *Toronto.*
SCHWEIZ:	Musée d'Art et d'Histoire, *Neuchâtel* - Collection Thyssen-Bornemisza, *Lugano* - Stiftung Sammlung E.G. Bührle, *Zurich.*
U.S.A.:	The Museum of Fine Arts, *Boston* - The Fogg Art Museum, *Cambridge, Mass.* - The Art Institute, *Chicago* - The *Cleveland* Museum of Art - The Wadsworth Atheneum, *Hartford, Conn.* - The Nelson Atkins Museum, *Kansas City* - The Armand Hammer Collection, *Los Angeles* - The *Minneapolis* Institute of Arts - *Yale* University Art Gallery, *New Haven, Conn.* - The Brooklyn Museum, *New York* - The Metropolitan Museum of Art, *New York* - Mr. David Nahmad, *New York* - Mr. and Mrs. E.V. Thaw, *New York* - Smith College of Art, *Northampton, Mass.* - Norton Simon Art Foundation, *Pasadena* - The *Philadelphia* Museum of Art - Museum of Art, Rhode Island School of Design, *Providence* - The *Toledo* Museum of Art, Ohio - Mr. and Mrs. Paul Mellon, *Upperville, Va.* - The Corcoran Gallery of Art, *Washington D.C.* - National Gallery of Art, *Washington, D.C.* - The Sterling and Francine Clark Institute, *Williamstown, Mass.*

Ballettprobe. Kohle, 55,8 × 103 cm
The Nelson-Atkins Museum of Art, Kansas City, Missouri

BALLETTÜBUNGEN, um 1905. Pastell und schwarze Kreide, 46,4 × 101,6 cm
The Toledo Museum of Art, Toledo, Ohio

PHOTOGRAPHIEN

Larry Ostrom, Toronto - Service Photographique de la Réunion des Musées Nationaux, Paris - Artothek, Planegg/München - Walter Dräyer, Zurich - Joseph Szaszfai, Hartford, Conn. - Richard W. Caspole, New Haven, Conn. - Bruce C. Jones, Centerport, New York - Eric Pollitzer, Hempstead, New York - Otto Nelson, New York.

BALLETTSAAL, 1889-1905. Öl auf Leinwand, 41,5 × 92 cm
Stiftung Sammlung E.G. Bührle, Zürich

BIOGRAPHIE

1834 Geburt des Hilaire Germain Edgar de Gas am 19. Juli in der Rue Saint-Georges 8 in Paris. Sein Vater, ein Bankier, stammt aus Neapel, seine Mutter aus einer kreolischen Familie in New Orleans. Er wächst in einer Familie von Kunst- und Musikliebhabern auf, die sich der künstlerischen Berufung des Sohnes nicht widersetzen wird.

1845-53 Er besucht das Lycée Louis-le-Grand in Paris, wo er sich an Henri Rouart, Paul Valpinçon und Ludovic Halévy anschließt.

1847 Tod der Mutter.

1852 Durch die Verbindungen seines Vaters lernt er die großen Kunstsammler seiner Zeit, Edouard Valpinçon, den Fürsten Gregorio Soutzo und Louis Lacaze, sowie verschiedene Musiker kennen.

1853 Kurzes Intermezzo an der Fakultät für Rechtswissenschaften.

1853-55 Lehrzeit im Atelier Barrias, danach bei dem Ingres-Schüler Lamothe. Eintritt in die Ecole des Beaux-Arts.

1855 Reise nach Lyon und in den Süden Frankreichs. Denkwürdiger Besuch bei Ingres.

1856-59 Reise nach Italien: Neapel, Rom und Florenz. Er besucht seine Familie und beginnt die Arbeit am Bildnis der *Familie Bellelli.* In Florenz verkehrt er im Malerzirkel der Macchiaioli (im Café Michelangelo). Er studiert die Malerei der Renaissance.

1860-61 Porträts und historische Szenen. Erste Pferde- und Reiterstudien. *Die jungen Spartiatinnen: Die Tochter Jephtas.*

1861-63 Er verbindet sich mit Duranty, dem Herold des Realismus.

1862 Beginn einer langdauernden Freundschaft mit Manet, den er im Louvre getroffen hatte und der ihn mit Renoir, Monet und Zola zusammenbringt. Zusammenkünfte im Café de Bade, später im Café Guerbois in der Nähe der Place Clichy.

1863 Heirat der Schwester Thérèse mit Edmond Morbilli.

1864 Mehrere Bildnisse Manets.

1865 Er stellt im Salon ein Pastellbild aus, *Die Eroberung der Stadt Orleans*, das die Aufmerksamkeit Puvis de Chavannes erregt. Er ändert seine Signatur in Degas ab. Heirat der Schwester Marguerite mit dem Architekten Henri Fèvre.

1865-70 Eine Reihe von Einzel-, später Gruppenporträts entsteht.

1866 *Szene von einem Hindernisrennen* oder *Der verwundete Jockey* im Salon ausgestellt.

1867 Zwei Porträts im Salon, die bei Castagnary Beachtung finden.

1868 Er interessiert sich für die Welt des Theaters.
Mademoiselle Fiocre im Salon.

1869 Landschaften nach der Natur im Pastell. Reise nach Italien. *Porträt der Madame G.* im Salon. Erste Werke über das Motiv der Büglerin. Sein Bruder René heiratet in New Orleans die Cousine Estelle. Die junge Frau ist blind und Witwe nach einem Offizier aus dem amerikanischen Bürgerkrieg.

1870 *Bildnis der Madame Camus* im Salon, seine letzte Einsendung.

1870-72 Kriegseinsatz an den Befestigungen von Paris.
Während der Pariser Kommune Aufenthalt in der Normandie. Este Trübung des Augenlichts, er geht der Freilichtmalerei aus dem Wege. Erste Tänzerinnen vom Opernballett.

1872 Bekanntschaft mit Durand-Ruel.

1872-73 Reise nach New Orleans. *Das Baumwollkontor in New Orleans.*

1873 Kurze Reise nach Italien.

1874 Tod des Vaters.
Teilnahme an der ersten Impressionistenausstellung mit zehn Werken. Jean-Baptiste Faure erwirbt *Die Ballettschule.*

1875 Reise nach Italien: Neapel, Florenz, Pisa und Genua.

1876 Zweite Impressionistenausstellung. Degas zeigt 24 Werke, darunter die *Absinth Trinker.* Er verzichtet auf einen Großteil seines Vermögens, um seinen Bruder vor dem Bankrott zu bewahren. In der Folge gerät er selbst in Bedrängnis und ist gezwungen, sich auf leicht Verkäufliches, insbesondere auf die Fächermalerei zu konzentrieren. Erste Werke über das Thema des Konzert-Cafés.

1877 Dritte Impressionistenausstellung. Er zeigt 24 Stiche, Zeichnungen, Drucke und Gemälde.

1878 Das Museum von Pau erwirbt das *Baumwollkontor in New Orleans.* Schrittweise Aufgabe der Ölmalerei zugunsten der Pastellmalerei, im besonderen einer von ihm erfundenen Technik, die er selbst als »détrempe à pastel« (Wasserpastell) bezeichnet.

1879 Scheidung seines Bruders René. Degas ergreift die Partei seiner Schwägerin, was zu einer mehr als zehn Jahre dauernden Verstimmung führt. Vierte Impressionistenausstellung: Fächer, Porträts und *Mademoiselle Lala im Zirkus Fernando.*

1879-80 Austellung von Stichen gemeinsam mit Mary Cassatt und Camille Pissarro.

1880 Reise nach Spanien.
Ausstellung von acht Gemälden und Pastellbildern, darunter das *Porträt Duranty*, sowie von Zeichnungen und Radierungen. Erste Lobeshymne in der Gazette des Beaux-Arts. Erste Skulptur, *Die Schülerin.*

1881-85 Veröffentlichung von Photographien von Muybridge.

1881 Teilnahme an der Sechsten Impressionistenausstellung mit mehreren Pastellbildern und der beinahe lebensgroßen Wachsstatue einer vierzehnjährigen Ballettschülerin.

1882 Degas und Mary Cassatt nehmen an der Impressionistenausstellung nicht teil. Mehrere Pastellbilder über das Thema der Modistin. Wiederaufnahme des Themas der Büglerin. Erste wichtige Darstellungen der Frau bei der Toilette. Kurze Reise nach Spanien, danach Aufenthalt in der Nähe von Genf.

1884 Sommerfrische im Departement Orne bei den Freunden Valpinçon.

1885 Reise nach Le Havre, zum Mont Saint-Michel und nach Dieppe, wo er die Bekanntschaft Gauguins macht.

1886 Januar in Neapel. Letzte Impressionistenausstellung: fünf Gemälde und zehn Pastellbilder, ein Zyklus von Frauen bei der Toilette. Vertrag mit Durand-Ruel.

1889 Reise nach Spanien und Marokko.

1890 Reise nach Burgund, die dort entstandenen Landschaften erscheinen im Druck. Zyklus von *Badenden* und Friseurszenen.

1892 Sonderausstellung bei Durand-Ruel. Tod des Bruders Achille.

1893-95 Zunehmende Verschlechterung des Sehvermögens.

1895 Tod der Schwester Marguerite in Buenos Aires.

1897 Reise nach Montauban, um die Werke Ingres' zu sehen.

1898-1908 Langsame Erblindung. Degas lebt sehr zurückgezogen.

1908 Er muß das Zeichnen aufgeben.

1909 Hört mit dem Malen auf.

1911 Tod Alexis Rouarts.

1912 Er muß seine Wohnung in der Rue Victor-Massé aufgeben und zieht auf den Boulevard de Clichy.
Tod Henri Rouarts, seines besten Freundes. Dessen Kunstsammlung wird im Dezember verkauft.

1917 Tod am 27. September. Beerdigung auf dem Friedhof am Montmartre.

1918 Verkauf der Degas' schen Kunstsammlung.

BIBLIOGRAPHIE

ADHÉMAR, J. und CACHIN, F. *Degas, Gravures et monotypes.* Paris: Arts et Métiers graphiques, 1973. München, 1973.

ADRIANI, Gotz. *Edgar Degas: Pastelle, Ölskizzen, Zeichnungen.* Köln: Dumont, 1984.

ANDRÉ, Albert. *Degas.* Paris, 1934.

BOGGS, Jean Sutherland. *Portraits by Degas.* Berkeley: University of California Press, 1962.

BOGGS, Jean Sutherland. *Drawings by Degas.* Saint Louis, 1966.

BOREL, P. *Les Sculptures inédites de Degas. Choix de cires originales.* Genf: P. Cailler, 1949.

BOURET, Jean. *Degas.* Paris, Gütersloh, London, 1965.

BROWSE, Lillian. *Degas Dancers.* New York: Studio Publ., 1949.

CABANNE, Pierre. *Edgar Degas.* Paris: Tisné, 1957. München, 1960.

CHAMPIGNEULLE. *Degas: Dessins.* Paris: Deux Mondes, 1952.

COOPER, Douglas. *Pastels.* New York: MacMillan, 1952. *Pastelle.* Trad. Paola Calvino. Basel: Holbein.

COQUIOT, G. *Degas.* Paris: Ollendorf, 1924.

DEGAS, E. *Lettres.* Gesammelt von M. Guérin. Vorwort von Daniel Halévy. Paris: B. Grasset, 1931, 1945.

DUFWA, Jacques. *Winds from the East: A Study in the Art of Manet, Degas, Monet and Whistler, 1856-86.* Stockholm: Almqvist & Wiskell; Atlantic Highlands, N.J.: Humanities Press, 1981.

DUNLOP Ian. *Degas.* Übers. von P. Huntchinson und J. Roselet. Neuchâtel: Ides et Calendes, 1979.

FÈVRE, Jeanne. *Mon oncle Degas.* Genf: P. Cailler, 1949.

FOSCA, François. *Degas.* Paris: A. Messein, 1921.

FOSCA, François. *Degas.* Genf: Skira, 1954.

GRABER, Hans. *Edgar Degas nach eigenen und fremden Zeugnissen.* Basel: Benno Schwabe, 1942.

GRAPPE, Georges. *Degas.* Paris: Plon, 1936.

GROWE, Berndt. *Zur Bildkonzeption E. Degas.* Frankfurt a. M., 1981.

GUÉRIN, M. *Dix-neuf portraits de Degas.* Paris: M. Guerin, 1931.

HALÉVY, Daniel. *Degas parle.* Paris: La Palatine, 1960.

HAUSENSTEIN, Wilhelm. *Degas.* Bern: Alfred Schertz, 1948.

HEBERMANN, M. *Degas.* Berlin: Cassirer, 1899.

HERTZ, Henri. *Degas.* Paris: Félix Alcan, 1920.

HOPPE, H. *Degas.* Stockholm, 1922.

HUYGHE, René. *Degas.* Paris: Flammarion, 1953.

JAMOT, Paul. *Degas.* Paris: Gazette des Beaux-Arts, 1924.

JANIS, E. P. *Degas Monotypes. Cat. raisonné.* Cambridge, Mass., 1968.

KEYSER, Eugénie de. *Degas: Réalité et métaphore.* Louvain-la-Neuve: Publications d'histoire de l'art et d'archéologie de l'Université catholique de Louvain, Nr. 25, 1981.

KOPPLIN, Monika. *Das Fächerblatt von Manet bis Kokoschka. Europaïsche Traditionen und japanische Einflüsse.* Saulgau, 1981.

KRESAK, Fédor. *Edgar Degas.* Prag, 1979.

LAFOND, Paul. *Degas.* Paris: H. Floury, 1918-19, 1922.

LASSAIGNE, Jacques. *Edgar Degas.* Paris, 1945.

LEFÉBURE, Amaury. *Degas.* Paris, 1981.

LEMOISNE, Paul André. *Degas et son œuvre.* Paris: Paul Brame & C.M. de Haucke, 1946; Plon, 1954.

LÉVÊQUE, Jean-Jacques. *Edgar Degas.* Paris: Siloé, 1978.

LEYMARIE, Jean. *Les Dessins d'Edgar Degas.* Paris, 1948.

LIEBERMANN, M. *Degas.* Berlin, 1899, 1912.

LIPTON, Eunice. *Looking into Degas: Uneasy Images of Women and Modern Life.* Berkeley, Cal.: University of California Press, 1986.

LONGSTREET, Stephen. *The Drawings of Edgar Degas.* Los Angeles: Borden, 1964.

MANSON, J. *The Life and Work of Edgar Degas.* London: Studio Ltd., 1927.

MATT, Leonard von und REWALD, John. *Degas, Das plastische Werk.* Zürich: Manesse, 1957.

MAUCLAIR, Camille. *Degas.* Paris: Hypérion, 1937.

MCMULLEN, Roy. *Degas, His Life, Time and Work.* Boston: Houghton Mifflin, 1984.

MEHRING, Walter. *Hilaire Germain Edgar Degas, 1834-1917. Thirty Drawings and Pastels.* New York: Herrmann, 1944.

MEIER-GRAEFE, Julius. *Degas. Ein Beitrag zur Entwicklungsgeschichte der modernen Malerei.* München: R. Piper, 1920.

MILLARD, Charles W. *The Sculpture of Edgar Degas.* Princeton, N.J.: Princeton University Press, 1976.

MINERVINO, Fiorella. *L'Opera completa di Degas.* Milan: Rizzoli, 1970.

MOORE, G. *Reminiscences of the Impressionist Painters.* Dublin, 1906.

NICODEMI, Giorgio. *Il pittore, i cavalli e le ballerine.* Milan: Bietti, 1945.

PECIRKA, Jaromir. *Edgar Degas, Zeichnungen.* Prag, 1963. *Drawings of Edgar Degas.* London: Peter Neville, 1963.

POOL, Phoebe. *Degas.* New York: Malboro, 1963.

REBATET, Marguerite. *Degas.* Paris: P. Tisné, 1944.

REFF, Théodore. *Degas: The Artist's Mind.* New York: The Metropolitan Museum of Art & Harper and Row, 1976.

REFF, Théodore. *The Notebooks of Degas. A catalogue of the thirty-eight notebooks in the Bibliothèque Nationale and other collections.* 2. erneute Ausgabe. New York: Hacker Art Books, 1985.

REWALD, John. *Degas, Works in Sculpture. A complete catalogue.* New York: Pantheon, 1944, 1956.

REWALD, John. *History of Impressionism.* New York: Museum of Modern Art, 4. Ausgabe, 1980. Paris, 1955. Köln: Dumont, 1965.

RICH, D.C. *Degas.* New York: Harry N. Abrams, 1951. Köln: Dumont, 1959.

RICH, D.C. *Edgar Hilaire Germain Degas.* New York: Abrams, 1985.

RIVIÈRE, Georges. *Les Dessins de Degas.* Paris: Demotte, 1922-23.

RIVIÈRE, GEORGES. *M. Degas, bourgeois de Paris.* Paris: Floury, 1935.

ROBERTS, Keith. *Degas.* Erneute Ausgabe. Oxford: Phaidon, 1982.

ROGER-MARX, Claude. *Degas, Pastels et Dessins.* Paris: D. Jacomet, 1957.

ROSENBERG, Jakob. *Great Draughtsmen from Pisanello to Picasso.* Cambridge, Mass.: Harvard, 1959.

ROUART, Denis. *Degas, à la recherche de sa technique.* Paris: Floury, 1945.

ROUART, Denis. *Degas. Dessins.* Paris: Braun, 1945.

ROUART, Denis. *Degas. Monotypes.* Paris, (1948).

SALMON, André. *Propos d'atelier.* Paris: Excelsior, 1938.

SCHWABE, Randolf. *Degas. The Draughtsman.* London: Art Trade Press, 1948.

SERULLAZ, Maurice. *L'Univers de Degas.* Paris: Screpel, 1979.

SHINODA, Yujiro. *Degas. Der Einzug des Japanischen in die französische Malerei.* Köln: Dumont, 1957.

SUTTON, Denys. *Edgar Degas. Life and Work.* New York: Rizzoli, 1986.

TERRASSE, Antoine. *Degas et la photographie.* Paris: Denoël, 1983.

TUGENDKHOL'D, Ia. *Edgar Degas i ego iskusstvo.* Moskau: Z.J. Grschebin, 1922.

VALÉRY, Paul. *Degas, danse, dessin.* Paris: Vollard, 1936; Gallimard, 1938.

VALÉRY, Paul. *Erinnerung an Degas.* Zürich, 1940.

VALÉRY, Paul. *Degas, Manet, Morisot.* Paris: Gallimard.

VANBESSELAERE, W. *Degas.* Brussel, 1941.

VOLLARD, Ambroise. *Degas.* Paris: Crès, 1924, 1938.

VOLLARD, Ambroise. *En écoutant Cézanne, Degas, Renoir.* Paris: Grasset, 1938.

WERNER, Alfred. *Degas. Pastels.* New York: Watson-Guptill, 1969.

ZERNOV, B. *Degas.* Moskau: Sowjetische Künstler, 1965.

ILLUSTRIERTE BÜCHER VON DEGAS

La Maison Tellier von Guy de Maupassant. Paris: A. Vollard, 1934.

Mimes et courtisanes von Pierre Louys. Paris: A. Vollard, 1934.

Degas, Danse et Dessin von Paul Valéry. Paris: A. Vollard, 1936, 1950.

La Famille Cardinal von L. Halévy. Paris: A. Blairet & Fils, 1938.

AUSSTELLUNGSKATALOGE

Etchings by Degas. Einführung und Notizen von P. Moss. University of Chicago, 1964.

Degas, his Family and Friends in New Orleans. Text von J. Rewald, J.B. Byrnes und J.S. Boggs. Museum Isaac Delgado, New-Orleans, 1965.

Drawings by Degas. Text von J.S. Boggs. The Saint Louis City Art Museum; The Philadelphia Museum of Art; The Minneapolis Society of Fine Arts, 1967.

Lithographs by Degas. Vorwort von W.M. Ittman Jr. Washington University, Saint Louis, Missouri und University Museum, Lawrence, Kansas, 1967.

Degas Monotypes. Text von E.P. Janis. Fogg Art Museum, Cambridge, Mass., 1968.

Degas Racing World. Galerie Wildenstein, New York, 1968.

Degas. Œuvres du Musée du Louvre. Text von H. Adhémar. Orangerie, Paris, 1969.

Degas. Pastels and Drawings. University Art Gallery, Nottingham, U.K., 1969.

Edgar Degas. 1834-1917. Text von D. Sutton. Galerie Lefevre, London, 1970.

Edgar Degas. The Reluctant Impressionist. Vorwort von B.S. Shapiro. Museum of Fine Arts, Boston, 1974.

Degas Bronzes. Museum of Fine Arts, Dallas, 1974.

Degas au Detroit Institute of Arts. Text von T. Reff. Detroit, 1974-75.

Degas. Vorwort von J. Cau. Galerie Schmit, Paris, 1975.

The Complete Sculptures of Degas. Vorwort von J. Rewald. Galerie Lefevre, London, 1976.

Degas au Metropolitan. Text von T. Reff. The Metropolitan Museum of Art, New York, 1977.

Edgar Degas. Text von T. Reff. Acquavella Galleries, New York, 1978.

Degas. 1879. Katalog von R. Pickwance. National Gallery of Scotland, Edinburg, 1979.

Degas and the Dance. Katalog von L.M. Muehlig. Smith College Museum of Art, Northampton, Mass., 1979.

Degas. La Famille Bellelli. Variations autour d'un chef-d'œuvre. Musée Marmottan, Paris, 1980.

Mary Cassatt and Edgar Degas. Text von N.M. Mathews. San José Museum of Art, Cal., 1981.

The Sculpture of Degas. Royal Museum and Public Library, Canterbury, U.K., 1982.

Degas. Kunsthalle, Tübingen; Nationalgalerie, Berlin, 1984.

Degas Sculptors. Centro Mostre di Firenze. Palazzo Strozzi, 1986.

The Private Degas. Katalog von Richard Thompson. Whitworth Art Gallery, Manchester. Fitzwilliam Museum, Cambridge.

Degas. Katalog von J. S. Boggs und al. Paris, Grand Palais, 1988.

ABBILDUNGEN

Absinth Trinker 43
Aktstudie 74
Auf dem Rennplatz 63

Bad (Das) 76
Badende 74
Badewanne (Die) 78
Ballerina beim Ausruhen (Eine) 54
Ballettprobe 91
Ballettsaal 89, 92
Ballettsaal der Oper (Der) 32
Ballettübungen 91
Baron Gennaro Bellelli 7
Baronin Bellelli (Die) 6
Baumwollkontor in New Orleans 17
Bei der Modistin 47
Beim Rennen 26
Bildnis Madame Ernest May 72
Büglerinnen (Die) 46

Dame mit Chrysanthemen 9
Diego Martelli (Studie für das Porträt) 23

Edouard Manet 23

Familie Bellelli (Die) 10-11
Frau im Bad 79, 82
Frau am Kamin 75
Frau in der Wanne stehend 83
Frauen vor einem Boulevardcafé 42

Geigenspieler (Der) 36
Gruppe von Tänzerinnen 86
Grüßende Tänzerinnen 87

Halbhoher weiblicher Akt 85
Hortense Valpinçon als Kind 14

Im Louvre 25
Interieur (Die Vergewaltigung) 45

Jacques-Joseph (James) Tissot 18
Jockeys im Regen 70
Jockeys vor dem Start (Vier) 26
Junge Frau mit Hut 21

Kaffeehaussängerin 37
Kleine vierzehnjährige Tänzerin 58
Konzert-Café 37
Konzert-Café Les Ambassadeurs 40
Konzert-Café (Im): La Chanson du Chien 39
Kutsche am Rennplatz 62

La Chanson du Chien 39

Madame Camus am Klavier 19
Madame Ernest May (Bildnis) 72
Madame Hertel (Studie für das Porträt) 8
Mademoiselle Fiocre 29
Mademoiselle Lala im Zirkus Fernando 48, 49
Musiker das Opernorchesters 31

Nach dem Bad 84

Opernorchester (Das) 30

Pferd und Jockey 61
Pferd an der Tränke 28
Porträt Edmond Duranty 22
Porträt Giovannina Bellelli 13
Porträt Giulia Bellelli 13
Porträts in Friesform 24

Schwestern (Zwei) 15
Sachs Freunde des Malers 73
Sich abtrockende Frau 80, 81
Sich Haare abtrockende Frau 81
Sitzende Frauen (Zwei) 50
Studie für das Bild des Opernorchesters 35
Studie für das Gemälde Ballettschule 34
Studie für das Pferderennen. Der verwundete Jockey 27
Studie für das Porträt Diego Martelli 23
Studie für das Porträt der Madame Hertel 8
Studien einer Tänzerin (Drei) 57
Studien einer Tänzerin (Vier) 59

Tänzer Perrot (Der) 52
Tänzerin, sich die Achsel richtend 86
Tänzerin, die Ballettschuhe richtend 55
Tänzerin in Grundstellung 55
Tänzerin, Profilansicht von rechts 52
Tänzerin, sich den Schuh richtend 88
Tänzerin, sich das Trikot richtend 89
Tänzerin, vierte Position 60
Tänzerinnen (Drei) 87
Tänzerinnen (Vier) 68
Tänzerinnen (Zwei) 65
Tänzerinnen auf der Bühne 66
Tänzerinnen in den Kulissen 67, 68
Tänzerinnen an der Stange 64
Tänzerinnenfries 90
Tanzschule (Die) 32
Tanzunterricht 53
Thérèse de Gas 12
Tochter Jephthas (Die) 5
Toilette (Die) 77

Vergewaltigung (Die) Interieur 45
Verwundete Jochey (Der) 27
Vor dem Rennen 71

Wäschetragende Weißnerinnen 51

Zirkus Fernando (Der) 49